코바늘로 만드는 작고 정교한
뜨개꽃 액세서리

꽃을 뜨다

Lunarheavenly
나카자토 카나 저
권효정 역

YUNA

Introduction

꽃을 좋아합니다.
손뜨개를 좋아합니다.
조그만 것을 좋아합니다.

어릴 적 꿈은 꽃 가게를 하는 것이었습니다.
세월이 흘러 손뜨개를 하게 되었고
'꽃 만드는 것'에 큰 매력을 느꼈습니다.

가느다란 실로 짠 꽃은 작고 가련해 보입니다.
실 한가닥이 한 송이의 꽃으로 변해가는 모습을 보면
마치 마법 같아서 마음이 두근거립니다.

하얀 실로 떠서 색을 물들이면 다양한 표현이 가능합니다.
자연 속 식물을 옮겨 놓은 듯, 있는 그대로의 색을 표현하는 것도
그림을 그리듯, 자유로운 발상으로 색을 입히는 것도, 즐거운 일입니다.

아주 작은 꽃이지만, 액세서리로 사용하면 왠지 특별한 기분이 듭니다.
그런 순간을 좋아합니다.

좋아하는 꽃을 좋아하는 색으로 만들어 보세요.
여러분의 일상을 풍요롭게 만드는데 도움이 된다면, 저 또한 행복할 것 같습니다.

Lunaheavenly 나카자토 카나

Naše rostliny

KLÍČ K URČOVÁNÍ

Jan Martinovský
a kolektiv

STÁTNÍ
ZEMĚDĚLSKÉ
NAKLADATELSTVÍ

1959

Contents

이 책을 보는 방법

재료에 대해서

· 이 책에서 소개하는 재료는 제작사나 판매처에 따라 명칭이 다를 수 있습니다. 재료에 대한 정보는 2017년 3월 자료입니다. 제작사 상황에 따라 생산이 중지된 경우도 있으므로 양해 부탁드립니다.

액세서리 만드는 방법

· 완성한 꽃이나 잎을 조합하여 액세서리를 만드는 순서입니다. 액세서리를 만드는 기본적인 방법은 P.58을 참조해 주세요.
· P.59~67, P.76~79에서는 사진과 함께 순서를 게재하고 있습니다. 다른 액세서리를 만들 때도 응용할 수 있는 테크닉을 소개하고 있으니 참고해 주세요.

꽃 만드는 방법

· 꽃이나 잎을 뜨고, 줄기를 만드는 순서입니다. 도안도 실려 있습니다. 재료나 도구, 코바늘뜨기의 기본에 대해서는 P.30~39를 참조해 주세요.
· 배색표는 사진에서 사용하고 있는 색을 P.41에 컬러 차트 번호로 기재하고 있습니다. 만들 때 기준으로 사용해 보세요.

POINT

· 각각의 꽃이나 액세서리에 포인트가 되는 순서를 사진과 함께 설명합니다.

은방울꽃
———✦———

동그란 방울 모양의
작고 귀여운 은방울꽃.
꽃을 감싸고 있는 잎도 인상적입니다.

How to make____P.55

백합
———✦———

수예용 꽃술을 사용하여
백합의 특징을 살리고
청초한 분위기를 표현합니다.

How to make____P.45

토끼풀

땅 위로 뻗어 가는 줄기와
세잎과 네잎 토끼풀을
표현합니다.

How to make_____ P.53

스노우드롭

아래로 고개 숙인 모습이
가련해 보입니다.
남은 철사로 뿌리도 표현합니다.

How to make_____ P.57

캄파눌라

초롱꽃이라고도 불리며
부드러운 색이
아름다운 꽃입니다.

How to make _____ *P.45*

아네모네

꽃잎과 꽃술의 대비가
시크한 분위기를
자아냅니다.

How to make _____ *P.44*

수국

돔 모양의 꽃을 만들고,
영롱한 진주로
꽃술을 표현합니다.

How to make _____ *P.51*

달개비꽃

실물 크기의 달개비꽃을
차분한 분위기로 표현합니다.

How to make ____ *P.56*

물망초

작고 가련한 꽃을 흩뿌리듯 배치하고
꽃 색은 그러데이션으로 표현합니다.

How to make ____ *P.54*

비올라

팬지보다
살짝 작게 만듭니다.

How to make_____P.43

제비꽃

보라색 그러데이션의 꽃잎과
독특한 형태의 꽃받침을
표현합니다.
How to make_____P.42

팬지

다양한 색의 팬지.
좋아하는 색으로 만듭니다.
How to make_____P.43

수선화

———◈———

늠름한 모습의
꽃술은 2종류가 있습니다.

How to make _____ *P.46*

해바라기

———◈———

힘이 넘치는 커다란 꽃을
밝은 노란 색으로
더욱 밝게 표현합니다.

How to make _____ *P.47*

캐모마일

———◈———

캐모마일의 특징적인 꽃술을
실로 채워서 입체적으로
표현합니다.

How to make _____ *P.50*

벚꽃

진짜 벚꽃처럼 아름답게
연한 색과 세밀한 부분까지
신경 써서 만듭니다.

How to make ___ *P.44*

동백

동그란 동백꽃을 재현합니다.
조화용 꽃술을 사용합니다.

How to make ____ *P.49*

다알리아

연한 핑크색의 귀여운 꽃잎을
겹쳐서 표현합니다.

How to make ____ *P.48*

장미

길게 모티프를 뜬 후
감아서 꽃 모양을 만듭니다.

How to make ____ *P.52*

무지갯빛 나비 브로치

여러 개의 꽃을 모아 나비 모양을 만들고
무지갯빛 그러데이션으로
꿈꾸는 듯한 분위기를 자아냅니다.

How to make_____P.66

푸른 나비 목걸이

선명한 블루가 인상적입니다.
같은 모티프라도 색상에 따라
느낌이 달라집니다.

How to make____P.70

부케 귀찌

다양한 꽃을 부케처럼 모아서 만듭니다.
좋아하는 꽃으로 응용할 수 있습니다.

How to make_____P.68

부케 목걸이

———✧———

같은 계열 색 꽃으로 부케를 만들고,
크기에 변화를 줘서
밸런스 좋게 만듭니다.

How to make_____P.60

벚꽃 빗핀 & 목걸이

진짜 벚꽃을 붙여 놓은 듯한 작품으로
뒷면도 신경 써서 예쁘게 만듭니다.

How to make_____P.71

동백꽃 목걸이 & 반지

존재감 있는 짙은 빨간색 액세서리로
골드 체인과 잘 어울립니다.

How to make_____P68

꽃 한 송이 액세서리

심플해서 부담 없이 사용할 수 있는 디자인.
한 송이라도 존재감은 확실합니다.

How to make____P.59

꽃 팔찌

끈에 꽃을 자유롭게 늘어놓아
자연스러운 이미지를 표현합니다.

How to make_____P.70

백조 브로치

백조 모양의 자수에
아련한 그러데이션으로
섬세하게 표현한 것이 인상적입니다.

How to make____P.74

꽃 리스 브로치

꽃줄기를 합쳐서 만든 리스로
다양한 꽃으로 화려하게 표현합니다.

How to make____P.73

달개비꽃 핀 브로치

생생하게 표현한 달개비꽃으로
잎에 유리구슬로 아침 이슬을 표현합니다.

How to make____P.64

장미 한 송이 미니 정원

작은 유리 돔에
장미 한 송이와 꽃잎을 넣어서...

How to make_____P.76

작은 뜨개 인형의
로맨틱 가든

귀여운 뜨개 인형과 꽃으로
작은 화원을 표현합니다.

How to make_____P.78

리본 초커

벨벳 리본에 선명한 색의
꽃을 달아서 표현합니다.

How to make_____P.72

은방울꽃 이어커프

귀에 은방울꽃을 장식합니다.
클립 방식이라 탈착도 간단합니다.

How to make_____P.62

음표 귀찌 & 귀걸이

가벼운 분위기의 미니 액세서리로
목걸이나 브로치로 사용해도 좋습니다.

How to make____P.75

옷깃 모양 목걸이

옷깃 형태의 베이스에 꽃을 달아서
깊은 파란색과 연한 핑크 그러데이션으로
시크하게 표현합니다.

How to make_____P69

기본 도구

작품을 만들 때 필요한 도구를 소개합니다. 사용하기 좋은 도구로 준비하세요.

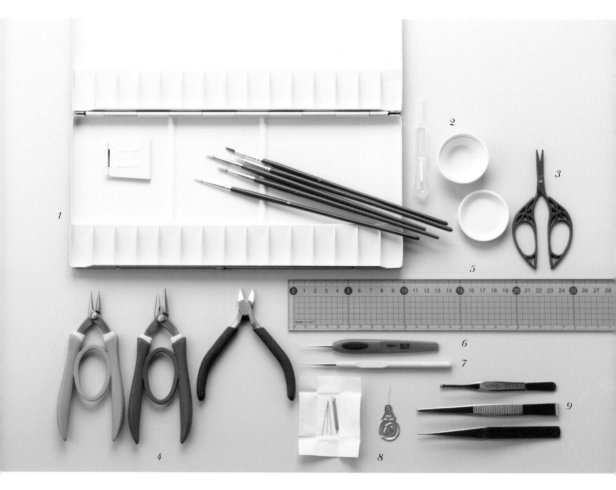

1
팔레트 · 붓

염료를 섞거나 물에 녹일 때 사용한다. 붓은 0호를 사용하고, 색에 따라 구분해서 사용하면 깨끗하게 착색할 수 있다.

2
스포이트 · 작은 그릇

염료를 물에 녹일 때 사용한다. 작은 그릇은 부품을 담아 놓는 용도로도 사용할 수 있다.

3
가위

실이나 철사를 자를 때 사용한다. 끝이 뾰족하고 잘 잘리는 것을 고른다.

4
니퍼 · 플라이어

금속 부품을 다룰 때 사용한다. 니퍼, 둥근 플라이어, 각진 플라이어를 구분해서 사용한다.

5
자

뜬 꽃의 크기 등을 계측할 때 사용한다.

6
레이스 코바늘

이 책에서는 No.14(0.5mm) 레이스 코바늘을 사용한다. 글라스 돔을 사용한 작품은 더 가는 0.45~0.4mm 바늘을 사용한다.

7
송곳

코를 넓힐 때 사용한다. 가는 것을 고르면 좋다.

8
자수바늘 · 실 꿰기

벌집판이나 펠트 등에 꽃을 꿰맬 때 사용한다. 가늘고 짧은 것이 사용하기 쉬운 것이다. 자수 작품에는 자수바늘을 사용한다. 실 꿰기는 매우 가는 레이스 실을 자수바늘 구멍에 넣을 때 필수이다.

9
핀셋

뜬 꽃 모양을 정리할 때 사용한다. 끝이 가는 것과 둥근 것이 있으면 편리하다.

기본 재료

이 책에서 사용하는 주요 재료를 설명합니다.
액세서리 만들 때의 재료는 P.58을 참조해 주세요.

아트 플라워용 염료

뜬 꽃을 염색할 때 사용한다. 아트 플라워용 액체 염료로 물에 녹여서 색을 섞으면 다양한 색상을 만들 수 있다. 이 책에서는 Roopas Rosti를 사용하고 있다. P.41의 컬러 차트 중, 스카이블루와 아쿠아블루는 Roopas Batik이라는 액체 가죽 염료를 사용한다. Roopas Rosti와 같은 방법으로 사용할 수 있다. 발색이 잘 되어 선명한 파란색이 된다. 염료 사용법은 P.40 참조.

철사

아트플라워용 꽃철사 #26, 35 흰색을 주로 사용한다. 줄기에 꽃이나 잎을 붙일 때 사용한다.

조화용 꽃술

아트플라워용 꽃술은 다양한 종류가 판매되고 있지만, 여기서는 1mm 흰색이나 노란색을 주로 사용한다.

레이스실

이 책에서는 DMC #80 Cordonnet Special BLANC(흰색), ECRU(내추럴)를 사용한다. 유리돔을 사용한 작품은 일부 #100 실을 사용한다.

경화 스프레이

작품을 완성한 후, 모양이 망가지지 않도록 사용한다. 액세서리 금속재료에 묻지 않도록 마스킹해서 사용한다.

접착제

레이스실을 철사에 감을 때 사용한다. 목공용 본드를 사용하는 것이 좋다.

올풀림방지액

철사에 감은 실 끝을 처리할 때 사용한다.

코바늘 뜨기의 기본

꽃은 코바늘 뜨기로 만듭니다.
실 거는 법이나 코만들기 등을 잘 연습한 후에 뜨기 시작하세요.

실 거는 법

1 오른손으로 실 끝을 잡는다. 왼손 새끼손
가락과 약지 사이에서 앞쪽으로 실을 꺼
내 검지에 건다.

2 검지를 세워 실을 팽팽하게 당기고, 실
끝을 10cm 정도 남긴 지점을 엄지와 중
지로 고정한다. 약지는 조금 구부려 실의
장력을 조절한다.

바늘 잡는 법

1 엄지와 검지로 바늘을 잡고 중지를 가볍
게 붙인다.

사슬뜨기 코만들기

1 바늘에 실을 한번 감고, 바늘에 실을 건
다.

2 화살표 방향으로 실을 빼낸다.

3 실을 빼낸 모습. 이 부분은 콧수로 세지
않는다.

4 실을 걸어서 빼내고, 이것을 반복하여 필
요한 콧수만큼 만든다.

Point
사슬뜨기 코에는 앞면
과 뒷면이 있습니다.
앞면 위쪽 실을 '사슬
반코' 라고 하며, 뒷면
코 중앙에 있는 실을
'뒤쪽 고리' 라고 합니
다.

앞면

뒷면

고리를 이용한 코만들기

꽃을 뜰 때는 고리를 이용하여 코만들기를 하고 중심에서부터 뜨기 시작합니다.
사슬뜨기를 해서 고리 모양으로 만드는 방법도 있습니다.

1 왼손 검지에 실을 2번 감는다.

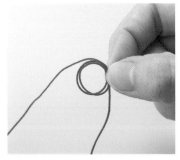

2 실이 교차하는 부분을 오른손 엄지와 검지로 누르면서, 실을 손가락에서 빼낸다.

3 실을 중지에 걸고, 고리 안에서 바늘에 실을 걸어 빼낸다.

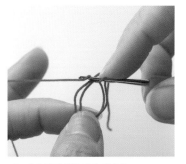

4 다시 한번 실을 걸어 빼낸다.

5 고리가 망가지지 않게 주의하면서 잡아당긴다.

6 바늘에 실을 걸어 빼낸다. 이것이 기둥코 사슬 한코가 된다.

Column 실 거는 방법

이 책에서는 비교적 빡빡하게 실을 잡아당겨서 꽃을 만듭니다. 그래서 실 당기는 정도가 작품의 완성도를 좌우합니다. 지나치게 느슨하게 뜨면 꽃 모양이 달라집니다. 기본적인 실 거는 방법으로 실의 장력을 조절하기 어렵다면, 왼손 약지에 실을 두 번 정도 감고 중지에 실을 걸어, 검지와 엄지로 실 끝을 잡도록 하면 조절하기 쉬워집니다.

기본 뜨개 법과 손뜨개 기호

이 책에 나오는 손뜨개 기호와 기본 뜨개 법을 소개합니다.

◯ 사슬뜨기 가장 기본적인 뜨개 방법. 코만들기에 사용하는 경우도 많습니다.

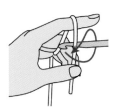    

1. 화살표 방향으로 바늘을 돌려서 실을 걸어 고리를 만든다.

2. 실이 교차하는 곳을 잡고, 실을 바늘에 걸어 고리 속에서 빼낸다.

3. 실을 당겨서 고리를 조인다. 이 코는 1코로 세지 않는다.
   ↓ 당긴다

4. 실을 바늘에 걸고, 바늘에 걸린 코 안에서 화살표 방향으로 빼낸다.

5. 사슬 1코 완성. 4의 '실을 걸어서 빼내기'를 반복하여 필요한 콧수만큼 만든다.
   첫번째 코

● 빼뜨기 코와 코를 연결할 때, 피콧을 만들 때 사용하는 뜨개 방법.

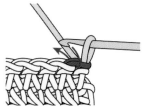 

1. 화살표 방향으로 앞 단 첫 번째 사슬 2줄에 바늘을 넣는다(이전 단이 사슬뜨기인 경우에는 사슬의 반코와 뒤쪽 고리, 또는 뒤쪽 고리만).

2. 바늘에 실을 걸고, 실을 빼낸다.

Point

미완성 코

마지막 빼뜨기를 하지 않고 고리를 남긴 상태를 '미완성 코' 라고 한다. 코줄이기 할 때 나오는 용어이다.

✕ 짧은뜨기 기둥코 사슬 1코는 작기 때문에 콧수에는 포함하지 않는다.

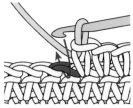   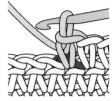

1. 다음 코 고리 2개에 바늘을 넣는다(이전 단이 사슬뜨기인 경우에는, 사슬의 반코와 뒤쪽 고리, 또는 뒤쪽 고리만).

2. 실을 바늘에 걸고 화살표 방향으로 빼낸다.

3. 다시 한번 실을 바늘에 걸고, 바늘에 걸려있는 2고리에서 한꺼번에 빼낸다.

4. 짧은뜨기 1코 완성. 1~3을 반복한다.

┬ 긴뜨기 짧은뜨기와 한길긴뜨기의 중간 길이로 기둥코 사슬 2코도 콧수에 포함한다.

 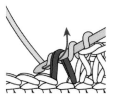  

1. 실을 바늘에 걸고 나서, 다음 코 고리 2개에 화살표처럼 바늘을 넣는다.

2. 실을 바늘에 걸고, 사슬 2개 높이의 실을 빼낸다.

3. 실을 바늘에 걸고, 바늘에 걸려 있는 고리 3개에서 한꺼번에 빼낸다.

4. 긴뜨기 1코 완성. 1~3을 반복한다.

⊤ 한길긴뜨기　기둥코 사슬 3코도 콧수에 포함한다.

  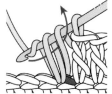  

1. 실을 바늘에 걸고, 다음코 고리 2개에 화살표처럼 바늘을 넣는다.

2. 실을 바늘에 걸고, 사슬 2개 높이의 실을 빼낸다.

3. 실을 바늘에 걸고, 바늘에 걸려있는 고리 2개를 한꺼번에 빼낸다.

4. 다시 한번 실을 바늘에 걸고, 바늘에 걸려 있는 고리 2개를 한꺼번에 빼낸다.

5. 한길긴뜨기 1코 완성. 1~4를 반복한다.

⊤ 두길긴뜨기　한길긴뜨기 보다 사슬 1코만큼 길이가 길고, 기둥코 사슬 4코도 콧수에 포함한다.

  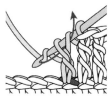  

1. 실을 바늘에 2번 감고, 다음 코 고리 2개에 화살표처럼 바늘을 넣는다.

2. 실을 바늘에 걸어서 잡아당기고, 다시 한번 실을 바늘에 걸고 바늘에 걸려있는 고리 2개를 한꺼번에 빼낸다.

3. 다시 한번 실을 바늘에 걸고, 바늘에 걸려있는 고리 2개를 한꺼번에 빼낸다.

4. 또다시 한번 실을 바늘에 걸고, 바늘에 걸려 있는 고리 2개를 한꺼번에 빼낸다.

5. 두길긴뜨기 1코 완성. 1~4를 반복한다.

⊤ 세길긴뜨기　바늘에 실을 3번 감고 나서 뜨는 방법. 기둥코 사슬 5코도 콧수에 포함한다.

1. 실을 바늘에 3번 감고, 다음 코 고리 2개에 화살표처럼 바늘을 넣는다.

2. 실을 바늘에 걸고, 사슬 2개 높이의 실을 빼낸다.

3. 실을 바늘에 걸고, 바늘에 걸려있는 고리 2개를 한꺼번에 빼낸다.

4. 다시 한번 실을 바늘에 걸고, 바늘에 걸려있는 고리 2개를 한꺼번에 빼낸다.

5. 또다시 한번 실을 바늘에 걸고, 바늘에 걸려 있는 고리 2개를 한꺼번에 빼낸다. 이것을 한 번 더 반복한다.

6. 세길긴뜨기 1코 완성. 1~5를 반복한다.

⚭ 사슬 3코 피코뜨기

사슬 3코

1. 사슬 3코를 뜨고 나서, 화살표처럼 아래쪽 반코와 그 아래의 세로실 1개를 뜬다.

2. 실을 바늘에 걸고 바늘에 걸려 있는 실을 전부 한꺼번에 빼낸다.

3. 사슬 3코 빼뜨기 피코뜨기 완성.

✕ 짧은뜨기의 고랑뜨기

1. 짧은뜨기와 같은 방법으로 다음 코 사슬의 뒤쪽 반코에 바늘을 넣어서 뜬다. 이렇게 하면 앞쪽 반코가 줄무늬처럼 남는다. 고리 형태로 만들 경우에는 겉면에 줄무늬가 생긴다.

╳ = ╲╱ 짧은뜨기 2코 넣어뜨기

  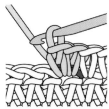

1 짧은뜨기를 한코 뜨면, 같은 코에 다시 한번 바늘을 넣는다.

2 짧은뜨기를 다시 한번 뜬다.

3 짧은뜨기를 2코 뜬 상태. 이것으로 1코 늘어났다.

Point

여기서는 짧은뜨기로 해설하고 있지만, 다른 뜨개 법에서도 기본적인 방법은 같다.

╳̷ = ╱╲ 짧은뜨기 2코 모아뜨기

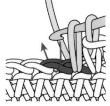  

1 짧은뜨기를 할 때와 같이 실을 빼낸다(미완성의 코). 그 상태로 다음 코에 바늘을 넣는다.

2 실을 바늘에 걸어서 빼낸다. 또다시 실을 바늘에 걸어서 바늘에 걸려 있는 고리 3개를 한꺼번에 빼낸다.

3 오른쪽 코가 1코 겹쳐서 앞 단의 2코가 1코가 되었다.

Point

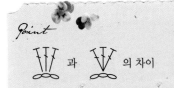 의 차이

뜨개기호의 아랫부분이 붙어있는 경우는, 앞 단의 지정된 코를 주워서 뜹니다. 떨어져 있는 경우는 앞 단 사슬을 전부 걸어서 뜹니다.

╲╱ 한길긴뜨기 2코 넣어뜨기

 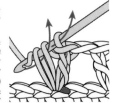 

1 한길긴뜨기를 1코 뜨고 실을 바늘에 걸어서 같은 코에 바늘을 넣는다.

2 한길긴뜨기를 다시 한번 뜬다.

3 한길긴뜨기를 2코 뜬 상태. 이것으로 1코 늘어났다.

Point

 한길긴뜨기 3코 넣어뜨기

한길긴뜨기 4코 넣어뜨기

한길긴뜨기 5코 넣어뜨기

여기서는 2코 넣어뜨기 테크닉을 해설했지만, 꽃에 따라서는 3코 이상을 넣어뜨는 작품도 있습니다. 콧수가 늘어나도 기본은 같습니다.

╱╲ 한길긴뜨기 2코 모아뜨기

 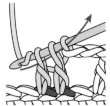 

1 미완성의 한길긴뜨기를 뜨고, 실을 바늘에 걸어 다음 코에 바늘을 넣는다.

2 실을 바늘에 걸고, 미완성의 한길긴뜨기를 다시 한번 뜬다. 실을 바늘에 걸고, 바늘에 건 실을 전부 한번에 빼낸다.

3 오른쪽 코가 1코 겹쳐서 앞 단의 2코가 1코가 되었다.

노티프 뜨기

작은 꽃 뜨기

기본적인 작은 꽃 뜨는 법을 해설합니다. 나비 브로치나 목걸이 등의 베이스나 팔찌 등에서 폭넓게 사용할 수 있는 모티프입니다.

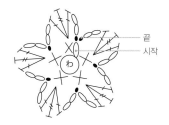

끝
시작

1 P.33을 참조해서 고리를 만든다. 기둥코 사슬 1코와 짧은뜨기 1코를 뜬다.

2 짧은뜨기를 다시 4코 뜬 상태.

3 실끝을 잡아당겨 봐서 고리의 실 어느 쪽이 움직이는지 확인한다.

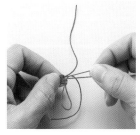

4 3에서 움직이는 쪽 실을 당겨 고리를 조인다.

5 실끝을 당겨서 고리의 남은 실을 조인다.

6 첫 번째 짧은뜨기 고리에 바늘을 넣고, 실을 걸어 빼낸다.

7 사슬 2코, 한길긴뜨기 1코, 두길긴뜨기 1코, 한길긴뜨기 1코를 뜬다.

8 사슬 2코를 만들고, 다음 코에 바늘을 넣고 실을 걸어 빼낸다.

9 꽃잎이 1장 완성되었다.

10 뜨개 도안을 참조하여 남은 꽃잎을 뜬다.

11 5장째 꽃잎은 마지막에 사슬 2코를 뜨고, 첫번째 코에 바늘을 넣고 실을 걸어 빼낸다.

12 실을 빼내면 25cm 정도 남기고 실을 자른다.

13 자른 실끝을 빼낸다. 시작부분의 실끝을 조이고 자른다.

작은 꽃 응용

뜨는 방법을 살짝 바꾸면 꽃잎 끝이
뾰족한 꽃을 만들 수 있습니다. 뜨
개도안에서는 ★로 표시합니다.

끝
시작
고리

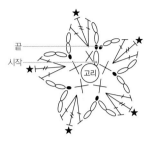

1 P.37의 7번 두길긴뜨기까지
뜬다.

2 두길긴뜨기 아랫부분의 왼쪽
끝 실을 1가닥 줍는다.

3 실을 바늘에 걸어서 빼낸다.

4 빼낸 상태.

5 뜨개도안을 따라서 뜨면 완성.
★부분 이외는 작은 꽃과 같
다.

잎 (철사 넣기)

기다란 잎은 철사를 넣어가며 만듭
니다. 여기서는 백합 잎(P.45 참조)
을 예로 소개합니다.

1 P.32 '사슬뜨기 코만들기' 3번
까지 같은 모양으로 만들고,
매듭을 느슨하게 하여 철사를
통과시킨다.

2 실을 조이고 철사와 실을 같이
잡는다.

3 철사 아래로 바늘을 통과시켜,
실을 바늘에 건다.

4 철사 아래에서 실을 당긴다.

5 바늘에 실을 건 채로 철사 위
에서 바늘에 실을 걸고, 바늘
에 걸린 고리 2개를 잡아 빼낸
다.

6 같은 방법으로 9코를 더 뜬다.
이것이 뜨개도안(P.45 참조)의
사슬뜨기 코만들기가 된다. 뜬
부분이 철사의 중앙에 오도록
한다.

7 기둥 사슬 1코를 만들고, 이것
을 축으로 뜬 부분의 오른쪽을
잡고 반대편으로 바늘을 돌려
서 한 바퀴 돌린다.

8 반코에 짧은뜨기를 한다.

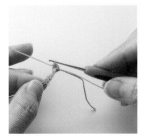

9 긴뜨기를 1코 뜬다.

10 긴뜨기를 7코 더 뜨고, 짧은뜨기 1코 뜨면 잎 한쪽이 완성.

11 사슬 1코를 뜨고, 철사를 사진같이 접는다.

12 빼뜨기 앞쪽 반코와 코만들기의 사슬 반코에 바늘을 넣는다.

13 실을 바늘에 건다.

14 바늘에 걸린 고리 2개를 빼낸다.

15 코만들기의 사슬 반코에 바늘을 넣고 철사 아래에서 실을 바늘에 건다. 바늘에 걸려 있는 고리 2개를 빼낸다.

16 같은 방법으로 긴뜨기 1코를 뜬다.

17 긴뜨기를 7코 더 뜨고, 짧은뜨기 1코를 뜬 상태.

18 기둥코의 사슬을 주워서 빼낸다.

19 실을 잡아당겨서 조이고 20~25cm 정도 남기고 자르면 완성.

줄기 만들기

꽃과 잎에 줄기를 만드는 방법을 소개합니다.

1 꽃에 남겨놓은 실을 자수바늘에 꿰어, 꽃 중앙 부분에 바늘을 넣고, 실을 뒷면으로 빼낸다.

2 철사를 절반으로 접어서, 꽃 중앙의 구멍과 실을 뒷면에서 빼낸 부분에 넣고 끝까지 쑥 밀어 넣는다. 꽃술을 표현할 때는 철사 중앙에 조화용 꽃술을 넣는다.

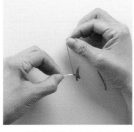

3 철사에 접착제를 얇게 바르고, 실을 촘촘히 감는다. 꽃받침이 있을 때는 실을 감기 전에 꽃 아래 겹쳐지게 철사를 통과시킨다.

4 어느 정도 실을 감고 나서 잎을 합친다. 철사가 시작되는 부위를 맞춰서 꽃 실도 철사와 합친다.

5 철사에 접착제를 얇게 바르고, 잎 실로 철사와 꽃 실을 감는다

착색하기

꽃이나 잎 등의 모티프가 완성되면 드디어 착색합니다.
실을 감은 줄기 부분도 잊지 말고 착색하세요.

염료 사용법

1. 팔레트에 사용할 염료를 몇 방울씩 덜어 놓는다.

2. 스포이드로 물을 떨어뜨리고 붓으로 염료를 조금씩 물과 섞는다.

3. 색을 섞을 때는 한 가지 색깔씩 물에 녹이고 나서 섞는다.

꽃 염색하기

1. 꽃 전체를 물에 적신다.

2. 물기를 닦고 손끝으로 모양을 잡는다.

3. 꽃을 키친타올 위에 올려놓고 염료를 붓으로 칠한다. 한번 적셨기 때문에 염료가 퍼져서 자연스러운 그러데이션이 생긴다.

4. 키친타올 위에서 1시간 정도 말린다.

5. 꽃술 부분을 칠하고 한동안 말린다.

컬러 차트

이 책에서 자주 사용하는 색을 소개합니다. 착색할 때 참고하세요.
괄호 안에 적힌 색이 염료를 물과 섞어 만듭니다.
여러 가지 염료를 섞어서 사용할 때는 한가지 색깔씩 물에 녹인 후에 혼합합니다.

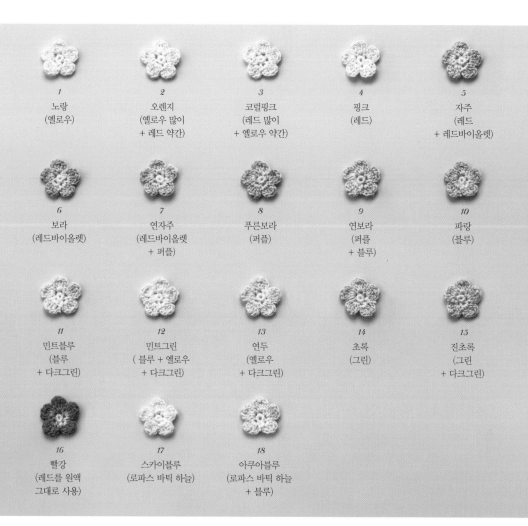

1
노랑
(옐로우)

2
오렌지
(옐로우 많이
+ 레드 약간)

3
코럴핑크
(레드 많이
+ 옐로우 약간)

4
핑크
(레드)

5
자주
(레드
+ 레드바이올렛)

6
보라
(레드바이올렛)

7
연자주
(레드바이올렛
+ 퍼플)

8
푸른보라
(퍼플)

9
연보라
(퍼플
+ 블루)

10
파랑
(블루)

11
민트블루
(블루
+ 다크그린)

12
민트그린
(블루 + 옐로우
+ 다크그린)

13
연두
(옐로우
+ 다크그린)

14
초록
(그린)

15
진초록
(그린
+ 다크그린)

16
빨강
(레드를 원액
그대로 사용)

17
스카이블루
(로파스 바틱 하늘)

18
아쿠아블루
(로파스 바틱 하늘
+ 블루)

Point

원액	물에 녹인 것	
	흰색실
(BLANC)	내추럴
(ECRU)

염료를 원액으로 사용하면 선명하고 진한 색이 됩니다. 이 책에서는 동백꽃에 사용하고 있습니다. 같은 색이라도 레이스실에 따라 다르게 표현되기도 합니다. 취향에 따라 구분해서 사용해도 좋습니다.

Column 모노톤으로 시크하게

이 책에서는 다양한 색으로 모티프를 염색하지만, 액세서리로 만들 때는 모노톤으로 통일하는 것도 추천합니다. 같은 꽃이라도 이미지가 바뀌어서 시크한 인상을 줍니다.

꽃 만드는 법

19종류의 꽃 만드는 방법을 소개합니다. 기본 뜨개 법을 참고하며 만들어 보세요. 배색표의 숫자는 P.41의 컬러차트 번호를 가리킵니다. 잎은 13~15번 중 좋아하는 색을 사용하고, 커다란 잎은 한 장 안에 다양한 색으로 변화를 주면 더욱 느낌있는 작품이 됩니다.

No.1
제비꽃

사진 ——— P.10

완성 사이즈(길이 8cm, 꽃 지름 1cm)

재료

DMC Cordonnet Special(흰색 · #80)
꽃철사(흰색 · #35)
조화용 꽃술(노란색 · 1mm) / 2개

만드는 방법

뜨개도안을 참조하여 꽃 4개, 꽃봉오리 1개, 꽃받침 5개, 잎(대) 4개, 잎(소) 2개를 만든다. 조화용 꽃술은 길이를 반으로 잘라 꽃 중앙에 꽂고, 꽃받침을 밑에 겹쳐서 P.39를 참조하여 줄기를 만든다. 잎은 철사를 절반으로 접어서 중심 고리와 그 옆 코에 꽂고 잎줄기가 붙어있는 부분까지 통과시킨다. 꽃봉오리는 꽃잎을 겹치듯이 접고 꽃받침으로 아래쪽을 감싸듯 끼워서 꿰맨다. 꽃과 잎을 합쳐서 모양을 잡고 착색한다. 남은 철사는 착색하고 꼬아서 모양을 잡는다.

배색표

A	6번 (연하게)
B	8번 (중심에서부터 그러데이션)
C	7번 (진하게)
D	9번
E	13 · 14 · 15번
F	연한 갈색

뜨개도안

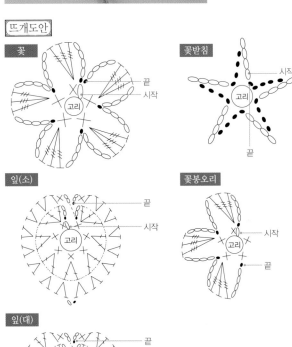

팬지

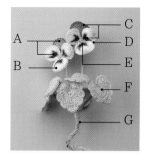

배색표	
A	6번 (진하게)
B	6번 (연하게)
C	10번 (진하게)
D	10번 (연하게)
E	1번
F	13·14·15번
G	연한 갈색

사진 ——— P.10

완성 사이즈(길이 6cm, 꽃 지름 1.5cm)

재료

DMC Cordonnet Special(흰색 · #80)
꽃철사(흰색 · #35)

만드는 방법

뜨개도안을 참조하여 꽃(앞)과 꽃(뒤), 꽃받침을 각 2개씩,
잎(대) 4개, 잎(소) 2개를 만든다. 꽃(앞)과 꽃(뒤)을 겹쳐서
중심을 꿰맨다. 꽃(뒤)은 2장의 꽃잎이 겹쳐지도록 한다.
꽃받침을 밑에 겹치고 P.39를 참조하여 줄기를 만든다. 꽃
과 잎을 합쳐서 모양을 잡고 착색한다. 남은 철사는 착색하
고 꼬아서 모양을 잡는다.

뜨개도안

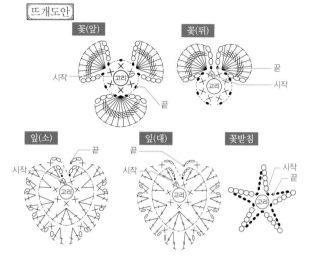

비올라

배색표	
A	1번 (중심에서부터 그러데이션)
B	6번 (진하게)
C	9번
D	13·14·15번
E	연한 갈색

사진 ——— P.10

완성 사이즈(길이 5cm, 꽃 지름 1cm)

재료

DMC Cordonnet Special(흰색 · #80)
꽃철사(흰색 · #35)

만드는 방법

뜨개도안을 참조하여 꽃(앞)과 꽃(뒤), 꽃받침을 각 2개씩, 잎
(대), 잎(소)을 3개씩 만든다. 꽃(앞)과 꽃(뒤)을 겹쳐서 중심을
꿰맨다. 꽃받침을 밑에 겹치고 P.39를 참조하여 줄기를 만든다.
꽃과 잎을 합쳐서 모양을 잡고 착색한다. 남은 철사는 착색하고
꼬아서 모양을 잡는다.

뜨개도안

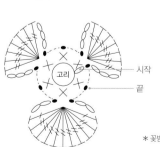

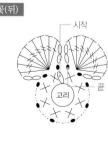

＊ 꽃받침과 잎은 팬지와 같다.

No.4
벚꽃

사진 ——— P.12

완성 사이즈(길이 16cm, 꽃 지름 1.5cm)

재료

DMC Cordonnet Special(흰색 · #80)
꽃철사(흰색 · #35)
네일용 구슬 / 120알 정도

만드는 방법

뜨개도안을 참조하여 꽃을 16개 만든다. P.71을 참조하여
꽃받침을 만든다. 꽃봉오리는, 10cm 정도로 자른 철사 중
앙에 접착제를 얇게 바르고 실을 1cm 정도 감는다. 이것을
절반으로 접고, 실을 2~3겹 감는다. 가지의 마디 부분은
3cm 정도로 자른 철사 중앙에 접착제를 얇게 바르고 실을
1cm 정도 감는다. 절반으로 접어 꽃과 함께 합친다. 꽃을
밸런스 좋게 합쳐서 모양을 잡고 착색한다. 꽃 중앙에 접착
제로 네일용 구슬을 7~8개 정도 붙인다.

배색표

A	3, 4번 (매우 연하게)
B	3, 4번 (진하게)
C	연한 갈색
줄기	13번

뜨개도안

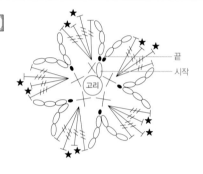

No.5
아네모네

사진 ——— P.8

완성 사이즈(길이 6.5cm, 꽃 지름 1.5cm)

재료

DMC Cordonnet Special(흰색 · #80)
꽃철사(흰색 · #35)

만드는 방법

뜨개도안을 참조하여 꽃과 꽃술, 잎(P.50 캐모마일과 공통)을
만든다. 짧은뜨기의 고랑뜨기는 P.35를 참조하여, 짧은뜨기와
같은 뜨개법으로 다음코 사슬의 뒤쪽 반코에 바늘을 넣어서 뜬
다. 5단째는 2단째의 앞쪽 반코에 바늘을 넣어서 뜬다. 4단째
꽃잎을 뒤쪽으로 젖히면 뜨기 쉽다. 꽃과 꽃술을 겹쳐서 중심을
꿰매어 고정한다. P.39를 참조하여 줄기를 만들고 꽃과 잎을 합
친다.

배색표

A	6번
B	8번 (진하게)
C	13 · 14 · 15번

뜨개도안

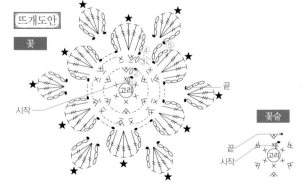

백합

No.6

사진 ──── P.6

완성 사이즈(길이 11cm, 꽃 지름 1.5cm)

─── A

─── B

재료

DMC Cordonnet Special(흰색 · #80)
꽃철사(흰색 · #35)
조화용 꽃술(연노란색 · 1mm) / 5개 정도
조화용 꽃술(흰색 · 1mm) / 2개

배색표

A	13번
B	13 · 14 · 15번

만드는 방법

뜨개도안을 참조하여 꽃 3개, 잎 8개를 만든다. 아래쪽 꽃
잎이 3단째, 위쪽 꽃잎이 4단째가 된다. 3단째는 2단째 뒤
쪽 반코에 바늘을 넣어서 뜨고, 4단째는 2단째의 앞쪽 반
코에 바늘을 넣어서 뜬다. P.39를 참조하여 줄기를 만든다.
잎에도 줄기를 만들고, 꽃과 합친다. 조화용 꽃술은 길이를
절반으로 자르고, 흰색 1개, 노란색 3개씩 나눈다. 흰 꽃술
대에 접착제를 얇게 바르고, 3mm 정도 낮은 위치에 빙 둘
러서 3개의 노란색 꽃술을 붙여서 합치고, 꽃술대를 4mm
정도 남기고 자른다. 꽃과 잎, 줄기를 착색하고, 꽃 중앙에
접착제로 조화용 꽃술을 붙인다.

뜨개도안

꽃

잎

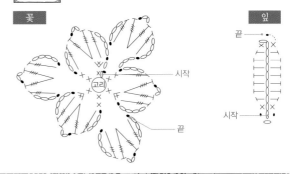

시작

끝

고리

끝

끝

시작

시작

캄파눌라

No.7

사진 ──── P.8

완성 사이즈(길이 9.5cm, 꽃 지름 0.5cm)

─── A

─── B

재료

DMC Cordonnet Special(흰색 · #80)
꽃철사(흰색 · #35)
조화용 꽃술(노란색 · 1mm) / 4개 정도

배색표

A	9번
B	13 · 14 · 15번

만드는 방법

뜨개도안을 참조하여 꽃과 꽃받침(P.43 팬지와 공통)을 7개씩
만든다. 꽃술은 길이를 절반으로 잘라서, 꽃 중앙에 꽂는다. 꽃
받침을 꽃 아래에 겹치고 P.39를 참조하여 줄기를 만든다. 잎에
도 같은 방법으로 줄기를 만든다. 꽃과 잎을 합쳐서 모양을 잡
고 착색한다.

뜨개도안

꽃

잎

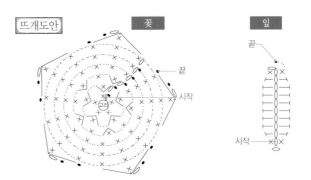

끝

시작

끝

고리

시작

시작

No.8
수선화

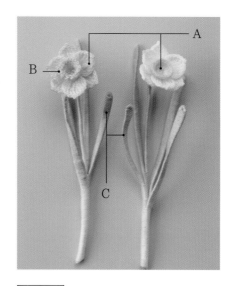

사진 ——— P.11
완성 사이즈(길이 7cm, 꽃 지름 1.5cm)

[재료]

DMC Cordonnet Special(흰색 · #80)
꽃철사(흰색 · #35)

[만드는 방법]

뜨개도안을 참조하여 꽃 2개, 꽃중심 각 1개씩을 만든다.
아래쪽 꽃잎이 3단째, 위쪽 꽃잎이 4단째가 된다. 3단째의
꽃잎은 2단째의 뒤쪽 반코에 바늘을 넣어서 뜨고, 4단째
는 2단째의 앞쪽 반코에 바늘을 넣어서 3단째 사이에 오도
록 뜬다. 꽃 위에 꽃중심을 겹치고, 중심을 꿰맨다. P.39를
참조하여 줄기를 만든다. 잎은 15cm로 자른 철사 중앙에
0.5cm 실을 감아 절반으로 접는다. 실을 계속 감는다. 같
은 방법으로 7개 만든다. 꽃과 잎을 합쳐서 착색한다.

[배색표]

A	1번
B	2번
C	13 · 14 · 15번

[뜨개도안]

[꽃]

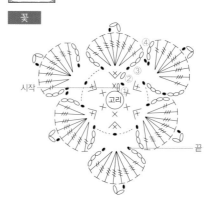

[중심①]

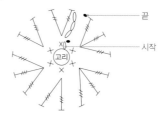

[중심②]

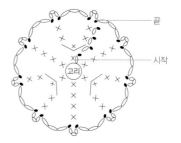

No.9
해바라기

사진 ——— P.11
완성 사이즈(길이 10.5cm, 꽃 지름 2.5cm)

재료

DMC Cordonnet Special(흰색 · #80)
꽃철사(흰색 · #35)

만드는 방법

뜨개도안을 참조하여 꽃, 꽃술, 꽃받침, 잎 6개를 만든다.
아래쪽 꽃잎(16장)이 5단째, 그 위의 꽃잎(8장)이 6단째가
된다. 4단째는 3단째의 뒤쪽 반코에 바늘을 넣어서 뜬다. 6
단째 꽃잎은 5단째와 같은 방법으로 2코 마다 건너뛰고 3
단째 앞쪽 반코에 바늘을 넣어서 8장 뜬다. 꽃 위에 꽃술을
겹쳐서 테두리를 2/3 정도 꿰매고, 안에 실밥 등을 넣는다.
남은 부분을 마저 꿰맨다. 중심 부분이 오목하게 들어가도
록 중심을 꿰맨다. 꽃 아래에 꽃받침을 겹치고 P.39를 참
조하여 줄기를 만든다. 잎도 같은 방법으로 줄기를 만들고,
꽃과 합쳐서 착색한다.

배색표

A	1번
B	2번
C	13번
D	13 · 14 · 15번

뜨개도안

꽃

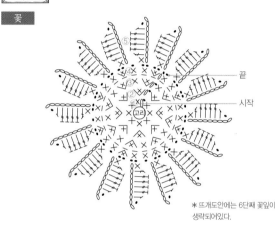

＊ 뜨개도안에는 6단째 꽃잎이
생략되어있다.

꽃받침

잎

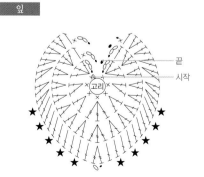

꽃술

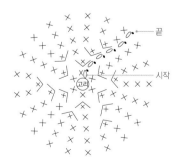

No.10
다알리아

사진 ——— P13
완성 사이즈(길이 10cm, 꽃 지름 2cm)

재료

DMC Cordonnet Special(흰색 · #80)
꽃철사(흰색 · #35)

만드는 방법

뜨개도안을 참조하여 꽃(위), 꽃(아래), 꽃받침을 만든다. 잎은 P.38을 참조하여 철사를 넣어가며 대 · 중 · 소를 각 2개씩 만든다. 꽃(위)은 4단째가 가장 아래에 있는 꽃잎이 된다. 꽃(위)의 2 · 3단째는 앞단의 뒤쪽 반코에, 5단째 꽃잎(4장)은 2단째 앞쪽 반코에, 6단째 꽃잎(2장)은 1단째 앞쪽 반코에 바늘을 넣어서 뜬다. 꽃(아래)는 가장 아래쪽 꽃잎이 5단째, 그 위의 꽃잎이 6단째가 된다. 꽃(아래)의 4단째는 3단째의 뒤쪽 반코에, 6단째는 3단째의 앞쪽 반코에 바늘을 넣어서 뜬다. 5단째 꽃잎을 뒤로 젖혀서 만들면 만들기 쉽다. 꽃(아래)의 위에 꽃(위)를 겹쳐서 중심을 꿰맨다. 꽃 아래에 꽃받침을 겹치고, P.39를 참조하여 줄기를 만든다. 잎도 같은 방법으로 줄기를 만들고, 잎(대) 1장에 잎(중) 2장, 잎(대) 1장에 잎(소) 2장을 조합해서 만든다. 꽃과 잎을 합쳐서 착색한다.

배색표

A	2 · 3 · 4번 (랜덤하게 착색)
B	13 · 14 · 15번

뜨개도안

꽃(아래)

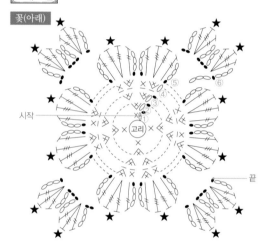

잎(대)

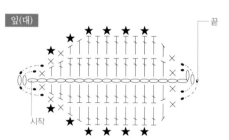

잎(소)

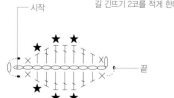

잎(중)은 잎(대)의 첫번째 사슬뜨기 17코를 15코로 변경하고, 잎 중간의 한 길 긴뜨기 2코를 적게 한다.

꽃받침

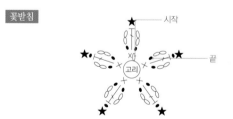

꽃(위)

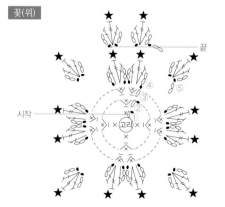

No.11
동백

사진 ——— P.13

완성 사이즈(길이 11cm, 꽃 지름 1.5cm)

재료

DMC Cordonnet Special(흰색 · #80)
꽃철사(흰색 · #35)
조화용 꽃술(연노란색 · 1mm) / 24개

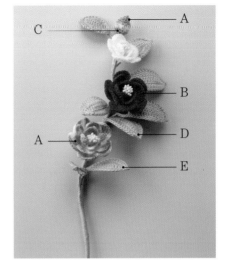

만드는 방법

뜨개도안을 참조하여 꽃 3개, 꽃받침 3개, 꽃봉오리 1개를
만든다. 잎은 P.38을 참조하여 철사를 넣어가며 잎(대) 4
개, 잎(소) 4개를 만든다. 5단째가 가장 아래에 있는 꽃잎
이 되고, 6단째는 중간에 있는 꽃잎, 7단째는 위쪽 꽃잎이
된다. 3 · 4단째는 앞단의 뒤쪽 반코에 바늘 넣어서 뜬다.
6단째 꽃잎은 3단째 앞쪽 반코에, 7단째는 2단째 앞쪽 반
코 바늘을 넣어서 뜬다. 꽃 아래에 꽃받침을 겹치고, P.39
를 참조하여 줄기를 만든다. 잎도 같은 방법으로 줄기를 만
들고, 꽃과 잎을 합쳐서 착색한다. 조화용 꽃술은 길이를
절반으로 잘라서 16개씩 나눈다. 꽃술대에 접착제를 얇게
바르고 합친다. 꽃술대를 4mm 정도 남기고 자른다. 꽃 중
앙에 접착제로 조화용 꽃술을 붙인다.

배색표

A	4번 (꽃봉오리는 마른 상태에서 착색한다)
B	16번
C	14번
D	13 · 14 · 15번
E	연한 갈색

뜨개도안

꽃

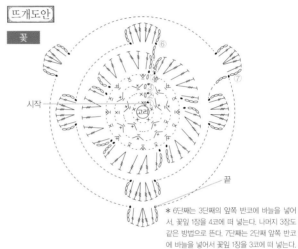

시작 / 끝

＊6단째는 3단째의 앞쪽 반코에 바늘을 넣어
서, 꽃잎 1장을 4코에 떠 넣는다. 나머지 3장도
같은 방법으로 뜬다. 7단째는 2단째 앞쪽 반코
에 바늘을 넣어서 꽃잎 1장을 3코에 떠 넣는다.
나머지 2장도 같은 방법으로 뜬다.

꽃봉오리

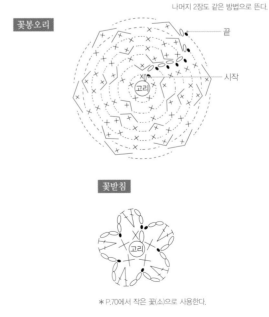

끝 / 시작

꽃받침

＊P.70에서 작은 꽃(소)으로 사용한다.

잎(대)   잎(소)

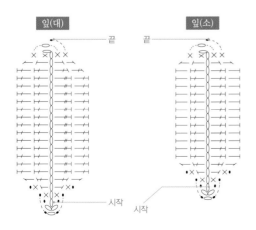

끝 / 시작

No.12
캐모마일

사진 ——— P.11
완성 사이즈(길이 11cm, 꽃 지름 1.5cm)

재료

DMC Cordonnet Special(흰색 · #80)
꽃철사(흰색 · #35)

만드는 방법

뜨개도안을 참조하여 꽃과 꽃중심을 3개씩, 잎을 4개 만든
다. P.39를 참조하여 줄기를 만든다. 잎은 뜨개 끝 부분에
철사를 찔러 넣고, 실로 감는다. 꽃 위에 꽃중심을 겹쳐서
테두리를 2/3 정도 꿰매고, 안에 실밥 등을 채운다. 남은
부분도 꿰맨다. 꽃과 잎을 합쳐서 착색한다.

배색표

A	1번 (진하게)
B	13 · 14 · 15번

뜨개도안

꽃

꽃중심

잎

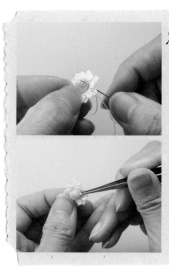

Point

꽃중심은 꽃 위에
겹쳐서 테두리를
2/3 정도까지 곱
게 꿰맨다. 안에
실밥 등을 채우고
남은 부분도 꿰맨
다. 이렇게 하면
입체적으로 만들
수 있다.

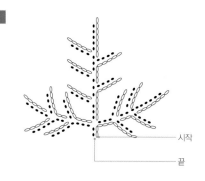

No.13
수국

사진 ——— P.8

완성 사이즈(길이 8cm, 꽃 지름 1cm)

재료

DMC Cordonnet Special(흰색 · #80)
꽃철사(흰색 · #35)
구멍 없는 진주구슬(흰색 · 1.5mm) / 12개

만드는 방법

뜨개도안을 참조하여 꽃을 12개 만든다. 잎은 P.38을 참조
하여 철사를 넣어 잎(대)와 잎(소)을 2개씩 만든다. P.39를
참조하여 꽃에 철사를 끼고, 반구형이 되도록 꽃을 밸런스
좋게 모양을 잡아서 철사를 합친다. 잎에 줄기를 만들고 꽃
과 합쳐서 착색한다. 꽃 중앙에 접착제로 진주 구슬을 한
개씩 붙인다.

배색표

A	9 · 10 · 11 · 13번 (랜덤하게 착색)
B	13 · 14 · 15번

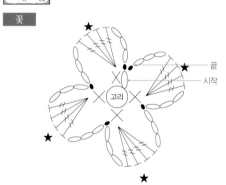

뜨개도안

꽃

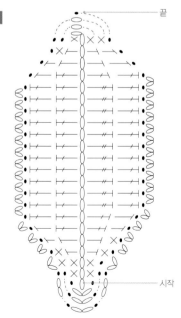

잎(대)

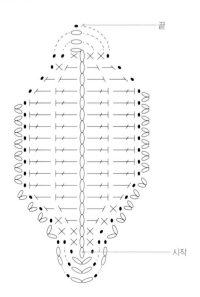

잎(소)

No.14
장미

사진 ——— P.13

완성 사이즈(길이 8.5cm, 꽃 지름 1.3cm)

재료

DMC Cordonnet Special(흰색 · #80)
꽃철사(흰색 · #35)

만드는 방법

뜨개도안을 참조하여 꽃(대) 1개, 꽃받침(P.43 팬지와 공통) 1개, 잎은 대 · 중 · 소 각각 2개씩 P.38을 참조하여 철사를 넣어가며 만든다. 꽃을 마지막에 뜬 부분부터 핀셋을 이용하여 단단하게 감고, 끝에 남겨 놓은 실로 꿰매서 고정한다. 손가락으로 꽃잎이 겹쳐지지 않도록 조금씩 감아가며 꿰매서 고정한다(POINT 참고). 꽃받침을 아래쪽에 겹치고 P.39를 참조하여 줄기를 만든다. 잎에도 줄기를 만들고, 잎(대) 1장과 잎(중) 2장, 잎(대) 1장과 잎(소) 2장을 각각 합쳐서 만든다. 꽃과 잎을 합쳐서 모양을 잡고 착색한다. 꽃(소)의 뜨개도안은 P.76 작품에서 사용한다.

배색표

A	3번 (중심을 진하게 착색한다)
B	13 · 14 · 15번

Point

장미는 벨트 모양으로 만든 것을 둥글게 말아서 꽃을 만듭니다. 끝부분부터 조금씩 감아가며 꿰매서 고정시킵니다. 꽃 중심 부분은 단단하게 감고, 꽃잎이 겹치지 않도록 하면 예쁘게 완성됩니다.

* 사진에서는 착색한 것을 말고 있습니다.

뜨개도안

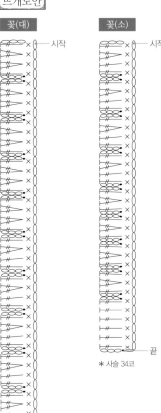

꽃(대)

← 시작

끝

* 사슬 46코

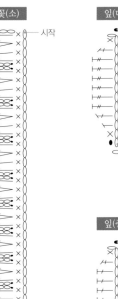

꽃(소)

← 시작

끝

* 사슬 34코

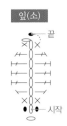

잎(대)

끝

← 시작

잎(중)

끝

← 시작

잎(소)

끝

← 시작

No.15
토끼풀

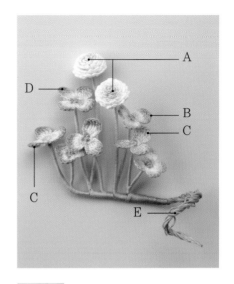

사진 ——— P.7
완성 사이즈(길이 5cm, 꽃 지름 1cm)

재료

DMC Cordonnet Special(흰색·#80)
꽃철사(흰색·#35)

만드는 방법

뜨개도안을 참조하여 꽃 2개, 네잎(대) 1개, 세잎(대) 3개,
네잎(소) 1개, 세잎(소) 2개를 만든다. P.52를 참조하여 꽃
을 마지막에 뜬 부분부터 핀셋을 이용하여 단단히 감고, 끝
에 남겨 놓은 실로 꿰매서 고정한다. 조금씩 말아가면서 그
때 마다 아래쪽을 꿰매서 고정한다. P.39를 참조하여 줄기
를 만든다. 잎에도 줄기를 만들고 밸런스를 보아가며 합친
다. 꽃과 잎을 합쳐서 모양을 잡고 착색한다. 남은 철사는
착색한 후 꼬아서 모양을 잡아준다.

배색표

A	13번 (중심을 진하게 착색한다)
B	13번
C	14번
D	15번
E	연한 갈색

뜨개도안

세잎(대)

네잎(대)

세잎(소)

네잎(대)

꽃 * 사슬 55코

물망초

사진 ——— P.9

완성 사이즈(길이 12cm, 꽃 지름 1cm)

재료

DMC Cordonnet Special(흰색 · #80)
꽃철사(흰색 · #35)

만드는 방법

뜨개도안을 참조하여 꽃을 11개 만든다. 잎은 대·소 각각
4개씩, P.38을 참조하여 철사를 넣어가며 만든다. P.39를
참조하여 줄기를 만들고, 꽃 8송이를 합친다. 잎은 대·소
각각 2개씩 합치고, 꽃 3개 합친 것과 간격을 두어 밸런스
좋게 배열한다. 모양을 잡아서 착색한다. 꽃 중심은 염료가
번지지 않도록 건조시킨 후 착색한다.

배색표

A	17번
B	18번
C	10번
D	1번 (진하게)
E	13 · 14 · 15번

뜨개도안

꽃

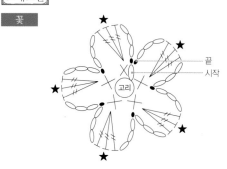

잎(대)

잎(소)

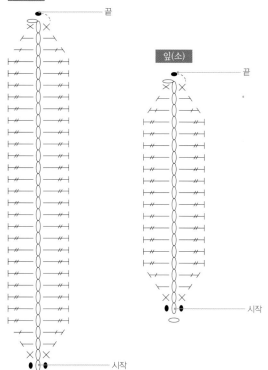

No.11
은방울꽃

사진 ──── P.6
완성 사이즈(길이 11cm, 꽃 지름 0.7cm)

재료

DMC Cordonnet Special(흰색 · #80)
꽃철사(흰색 · #35)
조화용 꽃술(진주색 · 1.5mm) / 5개 정도

만드는 방법

뜨개도안을 참조하여 꽃을 9개 만든다. 잎은 대 · 중 · 소 각
각 1개씩 P.38을 참조하여 철사를 넣어가며 만든다. 다 뜬
꽃은 POINT를 참고하여 핀셋으로 모양을 잡는다. 조화용
꽃술은 길이를 절반으로 잘라서 꽃 중앙에 꽂는다. P.39를
참조하여 줄기를 만든다. 잎에도 같은 방법으로 줄기를 만
든다. 밸런스를 보면서 꽃을 합친 후, 잎도 합쳐서 착색한
다.

배색표

A	13 · 14 · 15번
B	연한 갈색

A

B

뜨개도안

꽃

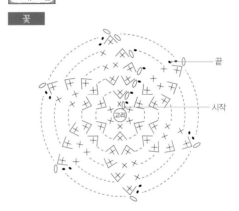

끝

시작

고리

Point

끝이 둥근 핀셋을
다 뜬 꽃 안에 넣
고, 부드러운 천
위에서 원을 그리
듯 굴리며 모양을
잡는다. 끝에 남
겨둔 실에 바늘을
통과시켜 실이 꽃
아래쪽으로 나오
도록 한다.

잎(소)

* 사슬 25코

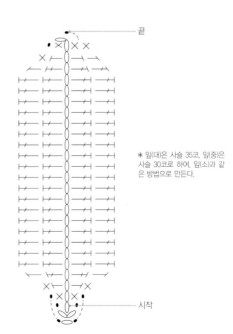

끝

시작

* 잎(대)은 사슬 35코, 잎(중)은
사슬 30코로 하여, 잎(소)과 같
은 방법으로 만든다.

No.18
달개비꽃

사진 ———— P.9
완성 사이즈(길이 11cm, 꽃 지름 1.2cm)

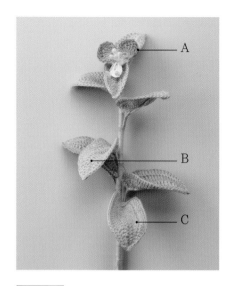

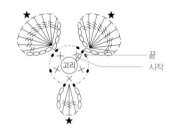 [label A]

[A]

[B]

[C]

재료

DMC Cordonnet Special(흰색 · #80)
꽃철사(흰색 · #35)
조화용 꽃술(노란색 · 1mm) / 2개
조화용 꽃술(흰색 · 1mm) / 1개

만드는 방법

뜨개도안을 참조하여 꽃을 1개 만든다. 잎(대) 3개, 잎(중)
4개, 잎(소) 1개는 P.38을 참조하여 철사를 넣어가며 만든
다. 마르면 투명해지는 접착제를 조화용 꽃술 끝에 살짝 발
라서 건조시킨다(UV레진이 있다면 이용 가능). 길이를 절
반으로 자르고, 노란색 꽃술 4개는 꽃술대에 얇게 접착제
를 발라서 합친다. 그리고 흰색 꽃술 2개를 노란색 꽃술보
다 튀어나오게 하여 꽃 중앙에 합쳐서 꽂는다. P.39를 참조
하여 줄기를 만든다. 잎도 같은 방법으로 줄기를 만들어 둔
다. 잎(소)을 세로로 약간 접어서 꽃 바로 아래에 꽃을 끼우
는 느낌으로 합친다. 밸런스를 보면서 나머지 잎을 배열하
며 합친 후, 모양을 잡고 착색한다.

배색표

A	18번 (진하게)
B	14번
C	15번

뜨개도안

꽃

끝
시작

잎(대)
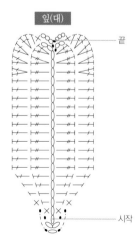
끝
시작

잎(중)
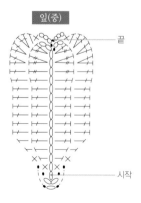
끝
시작

잎(소)
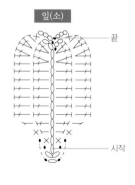
끝
시작

스노우드롭

사진 ——— *P.7*
완성 사이즈(길이 7cm, 꽃 지름 1cm)

A

B

C

재료

DMC Cordonnet Special(흰색 · #80)
꽃철사(흰색 · #35)

만드는 방법

뜨개도안을 참조하여 꽃 1개, 꽃중심 1개를 만든다. 꽃은 꽃중심을 꽂을 수 있도록 중앙 고리를 느슨하게 만든다. 잎은 대 · 중 · 소 각각 1개씩 P.38을 참조하여 철사를 넣어가며 만든다. 꽃 속에 꽃중심을 끼우고 P.39를 참조하여 줄기를 만든다. 15cm로 자른 철사 중앙에 0.7cm 실을 감고 절반으로 접는다. 그리고 실을 더 감아서 꽃 뒤쪽에 오도록 합친다. 잎에 줄기를 만들고 꽃 아래쪽에서 합친다. 남은 철사는 합쳐서 뿌리 부분에 감고, 모양을 삽는다. 꽃중심, 잎, 줄기, 뿌리를 착색한다.

배색표

A	14번
B	13 · 14 · 15번
C	연한 갈색

뜨개도안

꽃

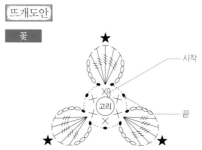

시작

끝

꽃중심

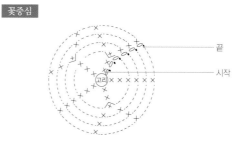

끝

시작

잎(대)

끝

* 잎(중)은 사슬 18코, 잎(소)은 사슬 15코로 잎(대)과 같은 방법으로 만든다.

시작

액세서리 만드는 방법

떠서 만든 꽃이나 잎을 사용해서 액세서리 만드는 방법을 소개합니다.
기본을 익혀두면 각자의 취향에 따라 다양하게 응용할 수 있습니다.

재료의 종류

O링·핀

금속재료나 부품을 연결할 때 사용한다. 핀은 진주 등을 통과시킬 때 사용한다.

체인 등

목걸이에 사용한다. 걸어서 사용하는 SR, 거는 쪽에는 A바 또는 조정자를 사용한다.

벌집판이 있는 재료

구멍이 뚫려있는 금속재료에 꽃을 꿰매서 고정하는 데 사용한다. 반지나 귀걸이 등의 액세서리 부품과 세트로 되어있다.

핀·빗핀

꽃이나 잎을 꿰매서 고정하거나 실로 감아서 사용한다. 사용법은 각 작품의 만드는 방법을 참조한다.

진주구슬·라인스톤

꽃술로 붙이거나, 액세서리의 포인트로 사용한다. 작품과 맞는 사이즈를 사용하는 것이 중요하다.

펠트·레이스·심지

무지개색 나비 브로치와 백조 브로치의 기초 부분으로 사용한다. 펠트, 심지, 뒷면용 레이스를 겹쳐서 사용한다.

금속재료의 사용 방법

O링 사용법①

2개의 플라이어로 O링의 좌우를 잡는다. 왼쪽 플라이어를 고정하고 오른쪽 플라이어를 앞뒤로 움직여서 틈을 벌린다.

O링 사용법②

O링에 부품 등을 걸고 나서, 틈을 벌릴 때와 마찬가지로 앞뒤로 움직여서 닫는다.

T핀 사용법①

T핀에 진주구슬 등을 통과시키고, 아래쪽을 손가락으로 눌러서 90도로 접는다.

T핀 사용법②

핀이 접힌 부분에서 7mm 정도 남기고 니퍼로 자른다.

T핀 사용법③

핀 끝을 둥근 플라이어로 잡아서 플라이어의 둥근 모양을 따라서 앞으로 회전시켜서 핀을 둥글게 만든다.

T핀 사용법④

9자말이가 완성된 상태. O링 등으로 연결하여 사용한다.

꽃 한 송이 액세서리

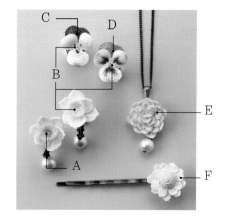

한 송이 꽃을 사용한 심플 액세서리.
벌집판에 꿰매서 고정하면 다양한 액세서리를 만들 수 있습니다.

사진 ──── P.20
완성 사이즈(각각의 꽃 지름 1.5cm)

재료

꽃	각 1~2개	[펜던트]	
[클립형 귀찌]		벌집판 펜던트(황동·링이 있는 것)	1개
벌집판 클립형 귀찌(황동)	1쌍	코튼펄(흰색·6mm)	2개
코튼펄(흰색·6mm)	2개	T핀·O링·펜던트 연결고리	각 1개
T핀·O링	각 2개	[헤어핀]	
[핀형 귀걸이]		벌집판 헤어핀	1개
벌집판 핀형 귀걸이(황동)	1쌍		
코튼펄 뒷마개(연한 베이지)	1쌍		

배색표

A	2번	D	9번
B	1번	E	2·3·4번 (랜덤하게 착색)
C	6번 (진하게)	F	1번

만드는 방법

1. P.43을 참조하여 팬지 꽃(앞), 꽃(뒤)을 각각 2개씩 떠서 착색한다. 벌집판이 감춰지도록 꽃(뒤)의 아래쪽 꽃잎을 겹친다.

2. 뜨고 남은 실을 자수바늘에 꿰어서 꽃 뒷면으로 뺀다. 벌집판 뒷면에서 바늘을 넣어 4곳 정도 꿰매어 고정한다. 벌집판 뒷면에서 매듭을 지어 마무리한다.

3. 꽃(앞) 중심을, 2에서 꿰매서 고정시킨 꽃잎 위에 겹쳐 꿰맨다.

4. 벌집판을 핀형 귀걸이에 세팅한 후, 각진 플라이어를 사용하여 고정한다.

5. 꽃에 경화 스프레이를 뿌린다.

6. 꽃 모양을 잡는다. 클립형 귀찌 등도 같은 방법으로 만든다. 코튼펄은 T핀에 넣어 O링으로 연결한다. 펜던트는 연결고리를 걸어서 목걸이 체인에 통과시킨다.

부케 목걸이

좋아하는 꽃을 부케처럼 모아서 만듭니다.
기본적인 방법은 같으므로, 클립형 귀찌(P.68) 등으로
응용할 수 있습니다.

사진 ———— P.17
완성 사이즈(부케 총 길이 7cm)

재료	(핑크 1개 분량)
캐모마일 · 아네모네 · 팬지	각 1개
제비꽃	3개
잎(장미 · P.52 참조)	2개
꽃철사(흰색 · #26)	1개
꽃철사(흰색 · #35)	8개
레이스실(흰색 · #80)	적당량
코튼펄(연한 베이지색 · 6mm)	1개
T핀	1개
O링(지름 4mm정도)	4개
체인(20cm)	2개
SR · 조정자	각 1개

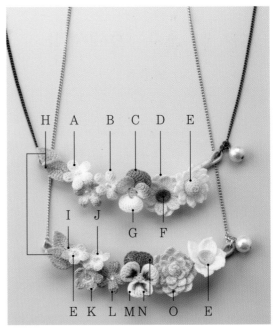

* 블루는 수선화 · 다알리아 · 팬지 · 제비꽃 각 1개, 물망초 3개, 장미 잎 2개를 사용하여 만든다.

배색표

A	3번	F	16번	K	10번
B	4번	G	2번	L	9번
C	5번	H	13 · 14번	M	10번 (연하게)
D	3 · 4번 (랜덤하게 착색)	I	18번	N	10번 (진하게)
E	1번	J	17번	O	9 · 10 · 11번 (랜덤하게 착색)

만드는 방법

1. 각각의 꽃과 잎을 만들어서 착색한다.

2. #26 철사의 끝에서 1cm 정도 간격을 띄우고 접착제를 얇게 발라 레이스실을 1.5cm 정도 감는다.

3. 실 감은 부분의 중앙을 접어서 고리를 만든다. 고리 아래쪽에 접착제를 얇게 바르고 실을 감는다.

④ 꽃은 자수바늘을 사용하여 남겨놓은 실을 뒷면으로 꺼내 놓는다. 아네모네 뒷면 구멍을 송곳으로 넓힌다.

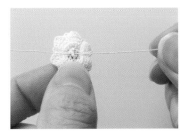

⑤ 4에서 넓힌 부분에 #35 철사를 통과시킨다.

⑥ 꽃을 통과시킨 철사를 절반으로 접는다. P.39를 참조하여 다른 꽃에도 철사를 통과시켜 놓는다.

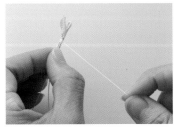

⑦ 3에서 만든 고리가 있는 철사 위에 잎을 올리고, 철사에 접착제를 얇게 바른 후 실을 감는다. 실을 가지런하게 감으면 예쁘게 완성된다.

⑧ 실을 조금 감고, 같은 방법으로 다음 잎이나 꽃을 밸런스 좋게 연결해 간다.

⑨ 꽃 크기에 따라 실 감는 길이를 조절한다.

Point

합쳐진 철사나 실은 필요 없는 것부터 조금씩 잘라서 굵기를 조절한다.

⑩ 꽃을 전부 합쳤으면, 철사에 2~3cm 정도 실을 더 감고 절반으로 접어서 고리를 만든다.

⑪ 철사를 전부 자르고, 실은 가장 긴 것만 남긴 후 자른다. 철사를 전부 같은 길이로 자르면 그 부분이 두꺼워지므로 사선으로 자른다.

⑫ 고리 아래쪽에 접착제를 얇게 바르고 실을 감는다.

⑬ 다 감고 나서 실을 자수바늘에 꿰어서 고리 아래쪽 부근에 바늘을 넣어서 뺀다. 실 끝이 거의 남지 않도록 자른다.

⑭ 착색하고, 마르면 13에서 실을 자른 부분에 올풀림 방지액을 바른다. 경화 스프레이를 뿌린다. 양끝에 O링을 연결하고 T핀을 통과시킨 진주, 체인, SR, 조정자를 O링으로 연결한다.

은방울꽃 이어커프

은방울꽃 모양을 살린 이어커프.
클립형 귀찌 재료를 사용하여 만듭니다.
캄파눌라나 벚꽃 등을 사용해도 예쁩니다.

사진 ——— P.25
완성 사이즈(총 길이 6.5cm)

재료

은방울꽃	7개
은방울꽃 잎(대·중·소)	각 1개
조화용 꽃술(진주색·1mm)	4개
꽃철사(흰색·#35·15cm)	10개
레이스실(흰색·#80)	적당량
클립형 귀찌(고무·둥근모양)	1개
코튼펄(흰색·6mm)	1개
T핀·O링	각 1개

배색표

A	13·14·15번

만드는 방법

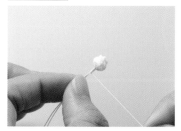

1. 은방울꽃을 뜬다(P.55 참조). 꽃 모양을 잘 잡고 경화 스프레이를 뿌려서 말린다. 꽃 중앙에 절반으로 자른 조화용 꽃술을 꽂고, P.39를 참조하여 철사를 꽂는다.

2. 꽃을 밸런스 좋게 합치고, 철사에 접착제를 얇게 바른 후, 실을 감는다.

3. 꽃다발 완성.

4. 잎은 각각 철사를 넣어서 뜨고(P.38 참조), 착색하여 말린다.

5 잎(대) 위에 클립형 귀찌를 놓고, 잎(중)을 위에 겹친다. 귀찌에는 양면테이프를 붙여 놓인다.

6 잎(대)에 남겨져 있는 실을 바늘에 꿰어, 클립형 귀찌 주변을 꿰매서 고정한다.

7 클립형 귀찌를 단 모습.

8 꽃다발과 잎을 합치고, 철사에 접착제를 얇게 발라 실을 감는다. 각각의 실 감기가 끝나는 위치를 맞춰서 합치는 것이 좋다. 귀 모양에 맞춰서 밸런스를 보아가며 합친다.

9 잎(소)을 꽃 옆쪽에 겹쳐서 같은 방법으로 합친다.

10 실을 5mm 정도 더 감은 후, 필요 없는 철사와 실을 잘라낸다. 줄기 굵기가 일정하도록 조절하며 실을 감는다.

11 2cm 정도 실을 감으면 철사를 고리 모양으로 접는다.

12 남은 철사들은 사선으로 자르고, 실은 가장 긴 것만 남기고 자른다. 고리 위쪽에 접착제를 얇게 바르고 실을 감는다.

Point
실 감기가 끝난 실을 자수바늘에 꿰어 고리 위쪽에 바늘을 넣어서 뺀다. 실 끝을 바짝 붙여서 자른다.

13 줄기를 착색하고 말린다. 철사 부분도 착색한다. 마르면 12에서 실을 자른 부분에 올 풀림 방지액을 바른다.

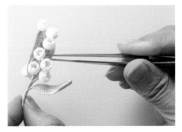

14 핀셋으로 모양을 정리한다.

15 귀찌의 클립 부분을 마스킹테이프로 감싸고, 전체에 경화 스프레이를 뿌린다. 진주 구슬을 T핀과 O링을 이용하여 고리 부분에 연결한다.

달개비꽃 핀 브로치

달개비꽃 모양의 브로치.
물망초, 해바라기 같은 큰 꽃으로도 응용할 수 있습니다.

사진 ——— P.22
완성 사이즈(총 길이 10.5cm)

[재료]

달개비 꽃	1개
달개비 잎(대)	3개
달개비 잎(중)	2개
달개비 잎(소)	1개
조화용 꽃술(노란색 · 1mm)	2개
조화용 꽃술(흰색 · 1mm)	1개
꽃철사(흰색 · #35 · 20cm)	7개
부토니에 핀(둥근 받침대 · 은백색)	1개
매우 작은 유리구슬	3개

[배색표]

A	18번 (진하게)
B	13 · 14 · 15번

[만드는 방법]

1. 마르면 투명해지는 접착제를 조화용 꽃술 양 끝에 약간 발라서 말린다. 이렇게 하면 광택이 난다. UV레진이 있다면 이용한다.

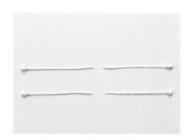

2. 마르면 조화용 꽃술을 절반으로 자른다.

3. 꽃을 만들어서 착색하고, 잎은 꽃철사 (#35)를 넣어서 뜬 후, 착색하여 말려둔 다. 꽃 중앙에 송곳으로 꽃술을 넣을 구멍을 만든다.

④ 노란색 꽃술 4개의 꽃술대에 접착제를 얇게 발라서 합친다. 그리고 흰색 꽃술 2개를 합쳐서 노란색 꽃술보다 길게 나오도록 합친다. 꽃 중앙에 찔러 넣는다.

⑤ P.39를 참조하여 꽃줄기를 만든다. 잎(소)을 세로로 살짝 접고, 꽃 바로 아래에서 꽃을 감싸듯이 합친다.

⑥ 밸런스를 보아가며 잎(대) 1개, 잎(중) 2개를 합친다. 그리고 5mm 정도 철사를 감는다.

⑦ 잎(대)을 합쳐서 5mm 정도 철사를 감는다.

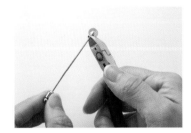

⑧ 부토니에 핀의 받침대 부분을 니퍼로 자른다.

⑨ 부토니에 핀 끝에 접착제를 바르고 6의 철사 사이에 찔러 넣는다.

⑩ 잎(대)을 합치고 5mm 정도 철사를 감는다.

⑪ 철사에 접착제를 얇게 발라 실을 감는다. 실이 모자란 경우에는 철사 사이에 새로운 레이스실을 끼워 넣어서 보충한다.

⑫ 도중에 철사와 실을 자르고, 잎 아래에서부터 3cm 정도 실을 감는다. 줄기 굵기가 갑자기 변하지 않도록 철사 길이를 조절하며 자른다.

⑬ 실 감기가 끝나는 부분의 실을 자수바늘에 꿰어서 감아 놓은 실 사이에 바늘을 넣어서 뺀다. 실 끝을 줄기에 바짝 붙여 자른다.

⑭ 줄기 부분을 잎과 같은 색으로 착색하고 말린다.

⑮ 경화 스프레이를 뿌리고 꽃 모양을 정리한다. 조화용 꽃술도 핀셋으로 정리한다. 14에서 자른 실 끝부분에 올풀림방지액을 바른다. 잎 3곳에 유리구슬을 접착제로 붙인다.

무지갯빛 나비 브로치

여러 개의 꽃으로 화려하며 섬세한 나비를 만듭니다.
목걸이로 만드는 방법은 P.69 POINT를 참조하세요.

사진 ——— *P.14*
완성 사이즈(총 길이 5cm · 폭 7cm)

재료

작은 꽃	42~45개
팬지	3개
제비꽃	2개
아네모네	1개
다알리아	1개
동백	1개
벚꽃	1개
다림질 접착펠트(내추럴색 · 6×8cm)	2장
뒷면용 심지(폴리에스테르 · 두께 0.5mm · 6×8cm)	1장
레이스 원단(6×8cm)	1장
일자 브로치핀(금색 · 길이 4.6cm)	1개
라인스톤	1개

배색표

A	4번		F	11번
B	3번		G	10번
C	2번		H	9번
D	1번		I	6번
E	13번		J	7번

만드는 방법

1 종이에 패턴을 그리고 색을 칠해서 그러데이션 이미지를 만든다.

2 작은 꽃과 그 외의 꽃들을 #80 ECRU 레이스실로 떠서 종이에 칠한 색을 따라서 착색한다. 펠트에 꿰매기 전에 패턴의 색을 따라 늘여놓는다.

3 펠트 2장, 심지, 레이스를 패턴 모양으로 자른다. 레이스가 없을 때는 생략해도 된다.

④ 펠트 테두리를 따라 작은 꽃들을 꿰맨다. 꽃을 뜨고 남은 실을 이용한다.

⑤ 작은 꽃을 다 꿰맨 상태. 빈틈이 보이지 않도록 조금씩 겹쳐가며 만든다.

Point

꽃과 꽃 사이에 작은 꽃을 넣으면, 섬세한 부분까지 예쁘게 완성된다. 꽃잎 아랫부분의 틈도 잘 메운다.

⑥ ②에서 정한 위치에 꽃을 각각 꿰맨다. 꽃과 꽃 사이에 남아 있는 작은 꽃을 꿰맨다.

⑦ 다른 한 장의 펠트와 레이스천을 다림질해서 붙이고 심지를 아래로 겹친다.

⑧ 레이스천 쪽에 브로치핀을 꿰매서 고정한다. 기초 부분이 완성되었다.

⑨ 브로치핀을 붙인 면이 아래쪽에 오도록 하여 꽃을 붙여 놓은 펠트 밑에 겹친다.

⑩ 겹친 펠트 옆을 블랭킷스티치로 꿰매서 합친다. 자수바늘을 아래에서 위로 빼내고, 실을 바늘에 건다.

⑪ 실을 뺀 모습. ⑩~⑪을 반복한다.

⑫ 경화 스프레이를 뿌리고, 핀셋으로 꽃 모양을 정리한다.

⑬ 동백꽃 중앙에 접착제로 라인스톤을 붙인다.

패턴

＊200%로 확대 복사해서 사용하세요.

부케 귀찌

완성 사이즈(모티프 길이 4.5cm, 2.5cm)

배색표	
A	9번 (연하게)
B	10번
C	9번
D	13 · 14번

재료

아네모네	1개	잎(장미 · 소)	2개
백합	1개	잎(백합 · 소)	3개
물망초꽃	4개	꽃철사(흰색 · #35 · 10cm)	8개
장미	1개	벌집판 나사형 귀찌	1쌍

만드는 방법

1. 각각의 꽃과 잎의 만드는 방법을 참조하여 뜬다. 물망초, 백합, 잎은 P.39를 참조하여 줄기를 만든다. 잎(백합) 1개와 물망초 꽃 1개를 합치고, 잎(백합) 1개, 물망초 꽃 2개를 차례대로 합친다. 백합을 합치고, 남은 철사에 실을 약간 감는다.

2. 벌집판에 1에서 만든 줄기 부분을 통과시키고, 감고 남은 실로 꿰매어 고정한다. 그 옆 부분에 잎(장미) 1개를 꿰매고, 아네모네를 벌집판 중심에 오도록 하여 꽃잎 아래를 몇 군데 꿰맨다.

3. 잎(백합) 1개와 물망초 1개를 합치고, 남은 철사에 실을 약간 감는다. 2와 같은 방법으로 다른 한 개의 벌집판에 꿰매어 고정시키고 그 옆 부근에 잎(장미) 1개를 꿰맨다. 장미를 벌집판 중심에 오도록 올려놓고, 꽃잎 아래를 몇 군데 꿰맨다.

4. 벌집판을 나사형 귀찌에 세팅해서 각진 플라이어로 고정한다. 착색하여 말린다.

5. P.45를 참조하여 백합 중앙에 조화용 꽃술을 붙인다. 전체에 경화 스프레이를 뿌리고, 핀셋으로 꽃 모양을 잡아준다.

동백꽃 목걸이 & 반지

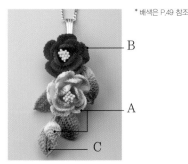

* 배색은 P.49 참조

완성 사이즈(목걸이: 길이 4.8cm, 반지: 지름 1.7cm)

재료

[목걸이]		펜던트 연결고리	1개
동백꽃	2개	체인(금색)	50cm
꽃봉오리 · 잎(소)	각 1개	SR · 조정자	각 1개
잎(중)	3개	O링	2개
벌집판 펜던트(지름 12mm)	1개	[반지]	
꽃철사 (흰색 · #35 · 10cm)	5개	동백꽃	1개
		벌집판 반지(황동 · 벌집판 지름 12mm)	1개

만드는 방법

1. 목걸이를 만든다. P.49를 참조하여 동백꽃과 꽃봉오리, 잎을 만든다. 잎(중) 1개를 제외하고 P.39를 참조하여 각각의 줄기를 만들고, 착색하여 말린다. 잎(소) 1개와 꽃봉오리를 합치고, 잎(중) 1개와 꽃 1개를 합친다.

2. 벌집판에 1의 줄기 부분을 통과시키고, 감고 남은 실로 꿰매어 고정한다. 그 왼쪽에 잎(중) 1개의 줄기 부분을 꿰매고, 오른쪽에 줄기 없는 잎(중)을 꿰맨다. 동백꽃을 벌집판 중심에 올려놓고, 꽃잎 아래 몇 군데를 꿰매서 고정한다.

3. 벌집판을 펜던트에 세팅해서 각진 플라이어로 고정한다. 동백꽃 중앙에 조화용 꽃술을 접착제로 붙인다. 펜던트 연결고리를 만들어 체인을 통과시키고, O링으로 SR과 조정자를 연결한다.

4. 반지를 만든다. 동백꽃을 만들어 착색시키고. 벌집판에 꽃잎 아래를 몇 군데 꿰매 고정하고, 반지대에 세팅하여 각진 플라이어를 사용하여 고정한다. 꽃술을 만들어 붙이고, 꽃에 경화 스프레이를 뿌려서 모양을 잡는다.

옷깃 모양 목걸이

사진 ——— *P.27*

완성 사이즈(모티프 길이 7cm)

재료

작은 꽃	32~35개
아네모네	1개
다알리아	1개
동백	1개
제비꽃	1개
벗꽃	1개
다림질 접착펠트(내추럴색 · 4×14cm)	2장
뒷면용 심지(폴리에스테르 · 두께 0.5mm · 4×14cm)	1장
레이스 원단(4×14cm)	1장
구멍 없는 진주구슬(흰색 · 1mm)	7개
A바	4개
코튼펄 (연한 베이지색 · 6mm)	1개
T핀	1개

체인(22cm)	2줄
SR	1개
조정자	1개
O링	6개

배색표

A	10번	D	3번
B	10번(진하게)	E	4번
C	11번		

만드는 방법

1. 패턴을 그린 종이에 색을 칠해서 그러데이션 이미지를 만든다. 작은 꽃과 꽃들을 ECRU 레이스실로 뜨고, 패턴 색에 맞춰서 착색한다. 펠트에 꿰매기 전에 패턴의 색에 따라 늘어놓는다.
2. 펠트 2장, 심지, 레이스를 패턴 모양으로 2장씩 자른다. 레이스가 없을 때는 생략해도 된다.
3. 펠트 테두리를 따라 작은 꽃들을 꿰맨다. 꽃을 뜨고 남은 실을 이용한다.
4. *1*에서 정한 위치에 꽃들을 각각 꿰맨다. 꽃과 꽃 사이에 남아 있는 작은 꽃을 꿰맨다.
5. 다른 한 장의 펠트와 레이스천을 다림질해서 붙인다. 펠트 양쪽 끝에 A바를 꿰맨다. 다른 한 장도 같은 방법으로 A바를 꿰맨다 (POINT 참조).
6. 아래쪽부터 *5*, 심지, *4*의 순서로 겹쳐 놓은 후, 옆쪽을 블랭킷 스티치로 꿰맨다(P.67 참조).
7. 경화 스프레이를 뿌리고, 핀셋으로 꽃 모양을 잡는다. 동백꽃 중앙에 접착제로 구멍 없는 진주구슬을 붙인다.
8. 모티프 2개를 O링으로 연결하고, 체인, 조정자, A바를 O링으로 연결한다. 체인 중간에 T핀을 통과시킨 코튼펄을 O링으로 연결한다.

패턴

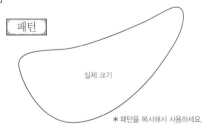

실제 크기

* 패턴을 복사해서 사용하세요.

Point

펠트 작품은 A바를 연결고리로 꿰매서 만듭니다. A바의 두꺼운 부분이 3mm 정도 펠트에서 튀어나오도록 두고, 다른 한쪽 구멍을 이용해서 펠트에 실로 고정합니다.

푸른 나비 목걸이

사진 ——— P.15
완성 사이즈(전체 길이 세로 4cm · 가로 5.5cm)

배색표	
A	18번 (진하게)
B	17번
C	12번
D	1번

재료

작은 꽃(소)	38~40개
*P.49 뜨개도안 참조	
팬지	2개
제비꽃	2개
아네모네	1개
동백	1개
다림질 접착펠트(내추럴색 · 6×7cm)	2장
뒷면용 심지(폴리에스테르 · 두께 0.5mm · 6×7cm)	1장
레이스 원단(6×7cm)	1장
라인스톤	1개
A바	2개
체인(22cm)	2개
SR	1개
조정자	1개
O링	4개

만드는 방법

1. P.67의 패턴을 150%로 확대해서 색을 칠하여 그러데이션 이미지를 만든다. 작은 꽃과 꽃들을 흰색 레이스실로 만들어서 패턴에 칠한 색을 따라 착색한다. 펠트에 꿰매기 전에 패턴을 따라서 늘어놓는다.

2. 펠트 2장, 심지, 레이스를 패턴 모양으로 자른다. 레이스가 없을 때는 생략해도 된다.

3. 펠트 테두리를 따라 작은 꽃들을 꿰맨다. 꽃을 뜨고 남은 실을 이용한다.

4. 1에서 정한 위치에 꽃을 각각 꿰맨다. 꽃과 꽃 사이에 남아 있는 작은 꽃을 꿰맨다.

5. 다른 한 장의 펠트와 레이스천을 다림질해서 붙인다. 펠트 양 끝에 A바를 1개씩 꿰맨다(P.69 참조).

6. 아래쪽부터 5, 심지, 4의 순서로 겹쳐 놓은 후, 옆쪽을 블랭킷 스티치로 꿰맨다(P.67 참조).

7. 경화 스프레이를 뿌리고, 핀셋으로 꽃 모양을 잡는다. 동백꽃 중앙에 접착제로 라인스톤을 붙인다.

8. 체인을 O링으로 연결하고, A바, 조정자를 O링으로 연결한다.

꽃 팔찌

사진 ——— P.21
완성 사이즈(팔찌 사이즈: 17cm)

배색표	
A	13번
B	7번
C	8번
D	6번
E	15번
F	18번
G	1번
H	9번

재료

토끼풀 네잎(대 · 소)	각 1개
토끼풀 세잎(대 · 소)	각 1개
제비꽃	2개
팬지	1개
비올라	1개
아네모네	1개
캐모마일	1개
왁스 코드 (연한 갈색 · 0.7mm)	72cm
연결 캡(황동 · 2mm)	2개
SR	1개
조정자	1개
O링	12개

만드는 방법

1. 꽃과 잎의 만드는 방법을 참조하여 만들고, 착색한다.

2. 만든 꽃과 잎의 뜨고 남은 실을 뒤쪽으로 빼고, O링을 꿰매서 연결한다.

3. 왁스코드를 4등분해서, 양 끝에 양면테이프를 이용하여 연결캡을 붙인다.

4. 코드를 랜덤하게 3가닥 잡고, 꽃과 잎을 O링으로 연결한다.

5. O링으로 SR, 조정자를 연결한다.

벚꽃 빗핀 & 목걸이

사진 ——— *P.18*

완성 사이즈 (빗핀: 총길이 8cm, 목걸이: 총길이 9cm)

재료

[빗핀]

벚꽃	17개
꽃철사(흰색 · #35 · 15cm)	17개
네일용 구슬(금색)	51개
빗핀(황동 · 15발)	1개
면자수실(흰색)	적당량

[목걸이]

벚꽃	12개	T핀	1개
꽃봉오리	3개	체인(20cm)	2개
꽃철사(흰색 · #26 · 20cm)	1개	SR	1개
꽃철사(흰색 · #35 · 15cm)	15개	조정자	1개
구멍없는 진주구슬(노란색 · 1mm)	적당량	O링	5개
코튼펄(흰색 · 6mm)	1개		

배색표

A	3, 4번 (매우 연하게)
B	3, 4번 (진하게)
줄기	13번
가지	연한 갈색

만드는 방법

1. 빗핀을 만든다. P.44를 참조하여 꽃을 17개 만든다. P.39를 참조하여 줄기를 만들고 (꽃받침 만드는 방법은 오른쪽 참조), 착색하여 말린다. 2~3개씩 합쳐서 다발로 만든다.

2. 2~3개씩 합쳐둔 꽃을 밸런스 좋게 전부 합쳐서, P.60을 참조하여 마지막에 철사로 고리를 만든다.

3. POINT를 참조하여 빗핀에 2를 자수실로 감아서 고정한다.

4. 줄기와 가지를 착색한 후 말리고, 접착제로 꽃술 부분에 네일용 구슬을 3개씩 붙인다. 꽃에 경화 스프레이를 뿌리고 모양을 잡는다.

5. 목걸이를 만든다. P.44를 참조하여 꽃과 꽃봉오리를 만들고, 착색하여 말린다.

6. #26 철사의 끝에서 1cm 정도 간격을 띄우고 접착제를 얇게 바른 후, 레이스실을 1.5cm 정도 감는다. 접어서 고리를 만들고, 꽃봉오리와 꽃을 밸런스 좋게 합친다. P.60을 참조하여 철사 마지막 부분에 고리를 만든다.

7. 줄기와 가지를 착색한 후 말리고, 꽃술 부분에 구멍 없는 진주구슬을 6~7개씩 붙인다. 꽃에 경화 스프레이를 뿌리고 모양을 잡는다. 양 끝에 O링으로 체인을 연결하고 오른쪽 끝에는 T핀을 통과시킨 코튼펄을 O링으로 연결한다. SR, 조정자를 O링으로 연결한다.

꽃받침 만드는 방법 · 꽃 만드는 방법은 P.44 참조.

꽃받침을 만들 때는, 처음에 실을 20cm 정도 남기고 뜨기 시작한다. 뜨기 시작한 곳과 마지막 실을 꽃 안쪽으로 빼내고, P.39를 참조하여 철사를 꽃 중심에 통과시킨다. 철사에 접착제를 얇게 바르고, 실 하나로 5mm 정도 감는다. 감은 실 위에 접착제를 얇게 바르고, 그 실로 꽃을 향하여 감고 (사진 *1*), 마지막에 실을 자른다. 감은 실 위에 접착제를 다시 얇게 바르고, 다른 실로 실 위를 감는다(사진 *2*). 실을 3겹으로 감아서 꽃받침이 부풀어 있는 모습을 표현한다(사진 *3*).

Point

꽃을 합친 후, 빗핀에 감아서 고정한다. 빗핀 사이를 통과시키며 단단히 감아서 고정한다. 꽃을 조금씩 비켜놓으며 감으면 감기 쉽다.

리본 초커

사진 ——— *P.24*

완성 사이즈
(전체길이 120cm, 꽃이 붙어있는 부분: 약 24cm)

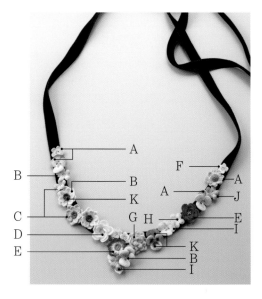

재료

제비꽃	5개
팬지	5개
아네모네	4개
물망초	4개
작은 꽃	3개
캐모마일	1개
동백	1개
다알리아	1개
잎(장미 · 소)	1개
벌집판 · 연결고리가 있는 펜던트(황동 · 18mm)	1개
벨벳리본(폭 10mm)	120cm
면자수실(검정)	적당량
O링	1개
구멍 없는 진주구슬(흰색 · 1mm)	6개

배색표

A	10번	F	8번
B	9번	G	8 · 9번
C	7번	H	11번
D	13번	I	6번
E	16번	J	5번
		K	9번 (진하게)

만드는 방법

1. 각각의 꽃과 잎의 만드는 방법을 참조하여 만들고, 착색하여 말린다.

2. 리본 위쪽 테두리를 중심에서 좌우 12cm씩 검정 자수실로 곱게 홈질한다. 실을 잡아당겨서 커브를 만들고, 매듭을 묶고 남은 실은 자른다. 리본 중앙에 O링을 꿰매서 고정한다.

3. 벌집판에 작은 꽃 2개, 아네모네 1개, 팬지 1개, 제비꽃 1개, 잎 1개를 꿰매어 고정한다. 벌집판을 펜던트에 세팅하여 각진 플라이어를 사용하여 고정한다.

4. 리본에 남은 꽃을 밸런스 좋게 꿰매어 고정한다. *3*을 O링에 연결한다.

5. 꽃 전체에 경화 스프레이를 뿌리고, 핀셋으로 모양을 잡는다. 동백꽃 중앙에 진주구슬을 접착제로 붙인다.

Point
O링은 사진 같이 리본 중앙에 꿰매어 고정한다. 리본에 커브를 만들 때는 위쪽 끝에 홈질을 하고 실을 잡아당긴 후 리본을 손으로 정리해주면 예쁘게 만들 수 있다.

꽃 리스 브로치

사진 ―――― P.22
완성 사이즈(꽃 리스 지름 4.5cm)

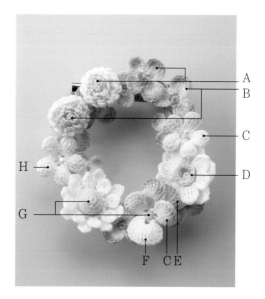

재료

제비꽃	2개
토끼풀	2개
아네모네	1개
팬지	1개
캐모마일	1개
토끼풀 네잎(대)	2개
토끼풀 네잎(소)	1개
토끼풀 세잎(대)	4개
토끼풀 세잎(소)	2개
꽃철사(흰색 · #26 · 15cm)	1개
꽃철사(흰색 · #35 · 15cm)	16개
일자 브로치핀(금색 · 2.8cm)	1개

배색표

A	15번
B	13 · 14번
C	4번
D	14번
E	4, 5번
F	2번
G	1번
H	3번

만드는 방법

1. 각각의 꽃과 잎의 만드는 방법을 참조하여 만들고, 착색한다.

2. P.39를 참조하여 #35 철사로 줄기를 만든다. #26 철사를 5cm 정도 남기고 꽃과 잎을 밸런스 좋게 합친다.

3. 전부 합친 후, 철사를 동그란 모양으로 만든다(POINT 참조). 양 쪽 끝을 3cm 정도 남기고 잘라서 겹친 후, 양면테이프를 감고 실을 감는다.

4. 일자 브로치핀에 양면테이프로 3을 붙이고, 실로 감아서 고정한 다. 감고 남은 실에 자수바늘을 꿰어서 브로치 아래쪽에 바늘을 넣어서 뺀다. 실을 짧게 자른다.

5. 줄기 부분과 브로치에 감은 실을 착색하여 말린다. 전체에 경화 스프레이를 뿌리고 모양을 잡는다. 4에서 실을 자른 부분에 올 풀림방지액을 바른다.

Point

철사를 일자 브로치핀 길이 만큼 겹친다. 남는 철사를 자르 고, 레이스실로 감는다(사진 1~3 참조). 사진 4에서 일자 브 로치핀을 붙이고 레이스실로 감는다.

백조 브로치

사진 ──── P.22

완성 사이즈(세로 4.5cm · 가로 4.5cm)

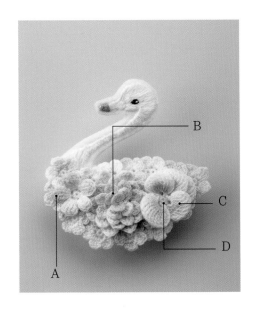

재료

작은 꽃	14~15개
제비꽃	1개
다알리아	1개
팬지	1개
꽃철사(흰색 · #35 · 20cm)	1개
펠트천(흰색)	2장
자수실(DMC BLANC)	적당량
자수실(DMC 3078)	적당량
자수실(DMC 318)	적당량
자수실(DMC 310)	적당량
일자 브로치핀(4cm)	1개

만드는 방법

1. 각각의 만드는 방법을 참조하여 꽃을 만들고, 착색하여 말린다. 팬지 꽃술은 전체가 마른 후에 착색한다. 작은 꽃은 7~11번으로 랜덤하게 착색한다.

2. 펠트 1장에 백조 패턴을 옮겨 그리고, 윤곽선을 따라서 철사를 꿰매어 고정한다(POINT 참조). 백조 목과 머리 부분에 철사를 덮으면서 새틴스티치와 롱앤쇼트스티치를 수놓는다. 수놓은 부분에서 2~3mm 간격을 두고 펠트를 자른다.

3. 백조 몸통 부분의 테두리를 따라서 윤곽선 안쪽 3mm 정도에 작은 꽃들을 꿰맨다. 꽃을 뜨고 남은 실을 이용한다.

4. 다른 꽃들은 작은 꽃을 꿰맨 안쪽 공간에 밸런스 좋게 배치하고 꿰맨다. 꽃과 꽃 사이의 빈 공간에는 작은 꽃을 꿰맨다. 필요 없는 부분의 펠트를 자른다.

5. 다른 한 장의 펠트를 4의 펠트 패턴 모양에 맞춰서 자른다. 일자 브로치핀을 실로 꿰매서 고정하고 접착제로 4와 붙인다. 자수 부분을 피해서 경화 스프레이를 뿌리고, 모양을 잡는다.

배색표

A	7번 (연하게)
B	10 · 11번 (랜덤하게 착색)
C	9번
D	1번 (진하게)
작은 꽃	7~11번 (랜덤하게 착색)

패턴

실제 크기

＊패턴을 복사해서 사용하세요.

Point

모티프 윤곽에 철사를 넣어서 입체적인 느낌을 준다. 패턴 윤곽선을 따라 철사를 자수실과 같은 색의 실(사진에서는 알기 쉽도록 다른 색 실을 사용)로 군데군데 꿰매어 고정시킨다.

음표 귀찌 & 귀걸이

사진 ——— P.26
완성 사이즈(전체 길이 4cm)

A

B

C

재료   한 쌍 분량

작은 꽃	12개
비올라	2개
꽃철사(흰색 · #35 · 20cm)	1개
펠트천(흰색)	2장
자수실(DMC 535 · 553)	각 적당량
9핀	2개
나사형 귀찌 또는 낚시고리형 귀걸이	1쌍
O링	2개

만드는 방법

1. 각각의 만드는 방법을 참조하여 꽃을 만들고, 착색하여 건조한다.

2. 펠트 1장에 패턴을 옮기고, 윤곽선을 따라서 철사를 꿰매어 고정한다(P.74 참조). 음표 윗부분은 철사를 덮으면서 새틴스티치와 롱앤쇼트스티치로 수놓는다.

3. 수놓은 부분에서 2~3mm 간격을 두고 펠트를 자른다. 뒤쪽에 9핀을 꿰매어 고정시킨다(POINT 참조).

4. 음표 아랫부분의 윤곽선을 따라서 2~3mm 정도 안쪽에 작은 꽃을 뜨고 남은 실로 꿰매어 고정한다. 중앙에 비올라를 꿰매어 고정한다. 필요 없는 부분의 펠트를 자른다.

5. 다른 한 장의 펠트를 4의 펠트의 패턴 모양에 맞춰서 자른다. 접착제로 4와 붙인다.

6. 자수 부분을 피해서 경화 스프레이를 뿌리고, 핀셋으로 꽃 모양을 정리한다. 귀찌나 귀걸이 부분을 O링으로 연결한다.

배색표

A	6번
B	1번 (진하게, 중심부터 그러데이션)
C	검정 (중심부터 그러데이션)

* 작은 꽃은 각각의 색으로 진하기에 변화를 주어 착색한다.

Point
귀찌나 귀걸이 부분과 연결하기 위해 9핀을 꿰매어 고정해 둔다. 연결고리 부분이 위로 나오도록 9핀의 위치를 정하는 것이 좋다.

패턴

실제 크기

＊패턴을 복사해서 사용하세요.

장미 한 송이 미니 정원

유리돔을 사용한 작품을 소개합니다.
기호에 따라 다른 꽃을 넣어도 좋습니다.

사진 ——— P.23
완성 사이즈(돔 지름: 2cm, 높이: 2.5cm)

재료

장미(소)	1개
*P.52 뜨개도안 참조	
꽃잎	1개
*P.77 뜨개도안 참조	
잎(장미·소)	1개
꽃받침(팬지)	1개
유리돔(원통형·고리형)	1개
유리돔 받침대(지름 2cm)	1개
작은 자갈	적당량

배색표

A	16번
B	13·14·15번

유리돔

유리돔은 돔과 받침대로 구성되어 있으며, 그 크기와 형태는 매우 다양합니다. 이 책에서는 원통형 돔을 사용합니다.

만드는 방법

1. 장미꽃(소)과 꽃잎, 꽃받침, 잎을 만들고, P.39를 참조하여 줄기를 만든다. 착색하여 말려둔다.

2. 장미에 돔을 씌워봐서 높이를 맞춘다.

3. 받침대에 양면테이프를 붙인다.

유리돔에 사용하는 추천 소재

유리돔 작품을 만들 때는 꽃 주위에 올려놓을 소재가 필요합니다. 작은 자갈이나 크래프트용 모래를 많이 사용합니다. 작은 자갈은 종류가 다양합니다. 크래프트용 모래도 다양한 색이 있습니다. 디오라마나 미니어처를 만들 때 사용되는 재료들로 수예용품 등을 판매하는 곳에서 구입할 수 있습니다. 작은 피규어 등을 사용해도 좋습니다.

④ 장미 줄기를 사진과 같은 모양으로 만들고, 필요 없는 철사 부분을 자른다.

⑤ 핀셋으로 받침대에 올려놓고 고정시킨다.

⑥ 손끝에 양면테이프를 붙이고 5를 올려놓으면 받침대가 고정되어 작업하기 쉽다.

⑦ 꽃 아래쪽에 접착제를 바른다.

⑧ 접착제를 바른 부분에 작은 자갈을 올린다. 받침대를 뒤집어서 필요 없는 자갈을 떨어뜨린다.

⑨ 작은 자갈 위에 접착제를 약간 발라 꽃잎을 붙인다.

⑩ 받침대 테두리에 접착제를 바르고, 돔을 씌워서 고정한다. 완성.

뜨개도안

꽃잎

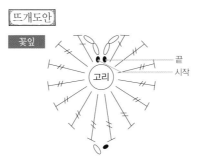

끝
시작
고리

작은 뜨개인형이 있는 로맨틱 가든

손끝에 올릴 수 있을 정도로 작은 뜨개인형을 사용하여 마치 작은 화원에 있는 듯한 느낌의 작품을 만듭니다.

사진 ───── *P.23*

완성 사이즈(돔 지름: 3.5cm, 높이: 4cm)

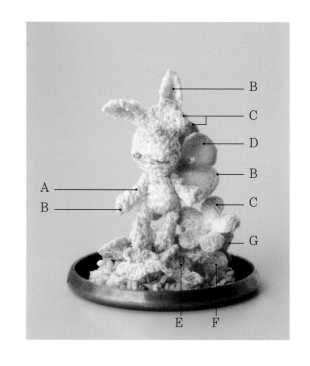

재료

뜨개인형	1개
비올라	1개
제비꽃	1개
꽃받침(비올라)	1개
작은 꽃	2개
토끼풀 네잎(소)	4개
토끼풀 세잎(소)	4개
금색 자수실	적당량
꽃철사(흰색 · #35)	1개
유리돔(원통형 · 고리형)	1개
유리돔 받침대(지름 3.5cm)	1개
작은 자갈	적당량

배색표

A	연한 갈색	E	15번
B	3번	F	13번
C	6번	G	14번
D	4번		

만드는 방법

1 P.79의 뜨개도안을 참조하여 뜨개인형의 부분을 만든다.

2 머리에 귀, 몸통에 손발을 각각 꿰매어 붙이고 나서, 머리와 몸통을 잇는다. 얼굴에 자수실로 눈과 입을 수놓는다. 철사를 절반으로 접어서 뜨개인형의 다리에 찔러 넣는다.

3 꽃을 만들고, P.39를 참조하여 줄기를 만든다. 비올라는 꽃받침을 붙인다. 작은 꽃과 잎은 0.45~0.4mm의 가는 바늘을 사용해서 #100 실로 뜬다. 작은 꽃 1개를 제외하고 줄기를 전부 만든다. 남은 작은 꽃은 인형 머리에 붙인다.

④ 돔을 인형에 씌워봐서 높이를 맞춘다. 받침대에 양면테이프를 붙이고 인형의 철사를 접어서 붙인다. 필요 없는 철사는 자른다.

⑤ 비올라 줄기를 접어서 같은 방법으로 받침대에 붙인다. 제비꽃도 같은 방법으로 붙이고, 토끼풀 네잎과 세잎도 밸런스 좋게 붙인다.

⑥ 꽃 아래쪽에 접착제를 바르고, 작은 자갈을 올린다. 받침대를 뒤집어서 필요 없는 자갈을 떨어뜨린다.

⑦ 완성.

⑧ 받침대 테두리에 접착제를 바르고 돔을 씌워서 고정한다.

Point

토끼풀 네잎과 세잎을 붙일 때는 뜨개인형 다리 아래에 오도록 위치를 조정한다. 이렇게 하면 인형이 잎 위에 서 있는 느낌으로 완성된다.

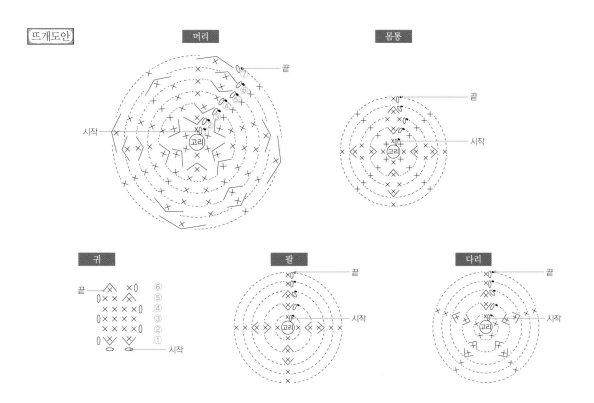

뜨개도안

머리

몸통

귀

팔

다리

지은이

Lunarheavenly

나카자토 카나

레이스 뜨개 작가. 일본 전통의상을 만드는 어머니를 보고 자라서
어린 시절부터 수예를 즐겼다. 2009년 Lunarheavenly를 시작했
다. 현재는 개인전, 이벤트 출전, 위탁판매 등을 중심으로 활동 중.
Twitter @Lunar_h
instagram lunarheavenly
blog http://lunaheavenly8.jugem.jp/

코바늘로 만드는 작고 정교한 뜨개꽃 액세서리

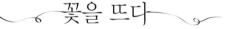

꽃을 뜨다

1판 1쇄 발행	2019년 2월 28일
1판 4쇄 발행	2024년 6월 15일

지은이	나카자토 카나
옮긴이	권효정
펴낸이	김현준
펴낸곳	도서출판 유나

경기도 용인시 수지구 만현로 20, 성산빌딩 2층 203호
전화 0505-922-1234   팩스 0505-933-1234
kim@yunabooks.com   www.facebook.com/yunabooks
www.yunabooks.com   www.instagram.com/yunabooks

ISBN 979-11-88364-13-8 13590

이 도서의 국립중앙도서관 출판예정도서목록(CIP)은 서지정보유통지원시스템 홈페이지(http://seoji.nl.go.kr)와 국가자료종합목록
구축시스템(http://kolis-net.nl.go.kr)에서 이용하실 수 있습니다. (CIP제어번호 : CIP2019000624)

Kagibari de Amu Lunarheavenly no Chiisana Ohana no Akusesari
Copyright ⓒ Lunarheavenly Kana Nakazato
Korean translation rights arranged with KAWADE SHOBO SHINSHA Ltd. Publishers
through Japan UNI Agency. Inc., Tokyo and Korea Copyright Center, Inc., Seoul